# ODKRYWCY KONTYNENTÓW

## Pod żaglami na krawędź świata

Ilustracje: Piotr Nagin

ZIELONA
SOWA

# Spis treści

Do odważnych świat należy… ............................................. 3

Co to jest odkrycie? Kim jest odkrywca? ........................... 4

Dlaczego dokonywano odkryć geograficznych? ..................... 6

Co wiedziano o świecie przed wiekami? ............................. 8

Pierwsi starożytni odkrywcy ........................................... 10

Statek – prawdziwy bohater naszej książki ........................ 12

Zapomniany wyścig do Ameryki:
  wikingowie kontra Chińczycy .................................... 14

Marco Polo, czyli daleka droga do Chin ........................... 16

Oto świat z XV wieku… ................................................. 18

Tylko nie Przylądek Nie…! ............................................. 20

Gdy zgubisz się na morzu… ........................................... 22

Strzelanina na oceanie. Vasco da Gama dociera do Indii ........ 24

To miały być Indie… Krzysztof Kolumb przeciera szlak
  do Ameryki ........................................................... 26

Dookoła świata? Kto tego dokona? ................................... 30

Mapa świata ............................................................... 32

Piekło dalekiego rejsu .................................................. 34

Wyzwanie rzucone kuli ziemskiej .................................... 36

Mapa świata z XVII wieku ............................................. 38

Jak nie dostrzec Australii? ............................................. 40

James Cook i wyprawa z zegarkiem ................................. 42

James Cook i kiszona kapusta ........................................ 44

James Cook i jego epoka ............................................... 46

Pierwsza oceaniczna podróż świata ................................. 48

Wielkie odkrycia? Tylko pod żaglami! ............................... 50

Wielkie wędrówki przez kontynenty ................................ 52

Afryka Dzika, czyli dżentelmeni wśród ludożerców .............. 54

Odkrycia mrożące krew w żyłach .................................... 56

Najsłynniejsi polscy odkrywcy ........................................ 60

Co jeszcze można odkryć w XXI wieku? ............................ 62

# Do odważnych świat należy...

Zapewne niejeden raz słyszeliście to przysłowie. Zastanawialiście się, czy jeśli przypadkiem nie jesteście tacy bardzo-bardzo odważni, to czy powinien on należeć i do Was? Oczywiście, że do Was także! Jest przecież wspólny. Jednak, przyznacie sami, człowiek, który zdobędzie się na więcej odwagi i fantazji – prawdopodobnie zyska więcej nagród, jakie życie potrafi mu zafundować...

Przysłowie to znakomicie pasowało do wielkich odkrywców, którzy nie bali się zapytać: „Ciekawe, co jest za horyzontem, tam gdzie jeszcze nikt nie dotarł? Może spróbujmy tam dopłynąć i zobaczyć?". O, właśnie, wyobraźcie sobie czasy, kiedy nikt dokładnie nie wiedział, jak wygląda Ziemia! Dziś to nic trudnego – wystarczy wziąć atlas albo odpalić „guglomapę" w tablecie i proszę! – cały świat na wyciągnięcie ręki. Wiadomo, że z Europy trzeba płynąć przez Atlantyk, potem na skróty Kanałem Panamskim albo trudniejszą drogą – wokół Ameryki Południowej, a potem zasuwamy przez Pacyfik, aż dopłyniemy do Australii, gdzie żyją kangury i śmieszne miśki koala... Zresztą po co płynąć, skoro można wsiąść w rejsowy samolot i ziiiuuu...! Autopilot zna drogę. Po 20 godzinach jesteśmy na drugim końcu świata.

Dziś samolot króluje, satelity fotografują, GPS ustala pozycję na ziemskim globie. Wróćmy jednak do czasów, w których ludzie nie dysponowali współczesną techniką i wiedzą, za to bardzo, ale to bardzo chcieli przekonać się, co jeszcze niezwykłego oferuje świat. W tym celu wyruszali w daleką wyprawę. Musieli być odważni, bo nie mieli pewności, czy wrócą z niej żywi. Niektórzy wrócili, inni mieli pecha. Jednak dzięki ich odkryciom ludzie zaczęli coraz lepiej poznawać nasz wspólny, błękitno-zielony dom, hulający w kosmicznych przestworzach – Ziemię.

O takich odważnych, do których świat należał oraz o ich statkach, dzięki którym wyprawy w ogóle były możliwe, jest ta książka.

## Na czym polegało odkrycie dokonane przez podróżnika?

- Znalazł coś, o czym wcześniej nie miał pojęcia.
- Wydało mu się to ważne.
- Gdy wrócił do domu, poinformował o tym, co odnalazł.

## Ojej, ale tu już ktoś jest!

Zapewne niektórzy zapytają: A cóż to za odkrycie, jeśli podróżnik przybył tam, gdzie już mieszkali jacyś ludzie? Skoro tam żyli, to znaczy, że byli pierwsi! I kto tu w takim razie jest odkrywcą?

Jasne, że byli. Żyli nieniepokojeni przez nikogo od setek lub tysięcy lat, nie mając pojęcia o istnieniu innych lądów i cywilizacji. Aż wreszcie te cywilizacje dopłynęły przypadkiem do nich. I stało się: przybysze powiedzieli mniej więcej tak:

- Przybywamy z potężnego państwa zza siedmiu mórz. Nasza broń jest lepsza od waszej, nasza technika jest nowocześniejsza, odtąd wasze ziemie należą do naszego władcy, a wy siedźcie cicho, bo właśnie was odkryliśmy i lepiej się nie buntujcie, bo nie macie szans!

Dla plemion „odkrytych" nie było to w porządku. Jednak tak się to właśnie odbywało. Fakt, że tubylcy znaleźli dla siebie jakąś krainę tysiące lat temu, nie miał znaczenia. Ważne było to, że nowoczesna i drapieżna część świata, jaką była w czasach odkryć Europa, właśnie ich odkryła i postanowiła na tym zarobić.

### Odkrywca? Ach, to ten ciekawski!

Wyobraź sobie dwóch chłopaków na wakacjach. Obaj są w tej okolicy po raz pierwszy i właśnie wyruszają na pierwszy spacer. Jeden jest ciekawy świata, rozgląda się, zapuszcza w zakamarki, musi sprawdzić, co jest za tamtym pagórkiem, dokąd prowadzi ta ścieżka porośnięta paprociami i czy da się obejść jeziorko dookoła. Drugi idzie, patrzy pod nogi, ziewa, nudzi się, wreszcie wraca do pokoju, bo przecież zostawił tam swoją ukochaną konsolę do gier…

Ten pierwszy wraca z wyprawy i z przejęciem dzieli się z rodzicami wrażeniami. Opowiada, że znalazł świetne miejsce na ognisko, odszukał drogę wokół jeziora, odkrył fantastyczny zakątek do łowienia ryb i wreszcie, najważniejsze – wytropił, gdzie sprzedają pamiątki, lody i kebaby. Co za udana wyprawa!

Ten drugi, jeśli go zapytać o wrażenia, odpowie, że nic ciekawego nie widział i było raczej nudno.

Tylko jeden z nich zasługuje na miano odkrywcy.

## Czym różni się znalezienie od odkrycia?

To ważne pytanie. Wiadomo na przykład, że mniej więcej w 880 roku Wikingowie jako pierwsi dopłynęli do Grenlandii i Ameryki Północnej. Potem wyprawiali się tam od czasu do czasu przez następne 500 lat. W takim razie czy słynni żeglarze z XV i XVI wieku cokolwiek nowego tam odkryli?

Wikingowie jako pierwsi Europejczycy rzeczywiście znaleźli nowe lądy za oceanem. Jednak wyruszali tam przeważnie z dwóch powodów: albo dokonali wcześniej przestępstwa, za co karą było dożywotnie wygnanie, albo po prostu szukali nowego miejsca do życia, bo w Skandynawii go już brakowało. Jeśli znajdowali nowe ziemie, to po to, by tam zamieszkać, a nie wracać do ojczyzny z wieścią o odkryciu. Wiedza o tym, dokąd dopłynęli, nie przedostała się do państw europejskich, które kilkaset lat później wysyłały swoich żeglarzy, by zbadali nieznany świat. To, co dla Wikingów nie było niczym zaskakującym, 600 lat później dla Hiszpanów, Portugalczyków czy Anglików okazywało się prawdziwym odkryciem, o którym z dumą ogłaszali w swych ojczyznach!

To, co Wikingowie znaleźli jedynie dla siebie, Kolumb i jego następcy tryumfalnie odkryli dla świata.

## Skąd wiadomo, co się odkryło?

Współczesny wakacyjny odkrywca ma łatwiej – może wypytać miejscowych albo zabrać ze sobą mapę. Dawni odkrywcy wyruszali naprawdę w nieznane. Płynęli przez tajemnicze morza, odkrywali lądy, o których nie wiedzieli, czy są wyspami czy kontynentami. Nadawali im nazwy i próbowali rysować ich mapy. Nie mieli pojęcia, jak duża jest Ziemia ani co czeka ich następnego dnia podróży. Jak się niebawem przekonasz – nawet słynny Krzysztof Kolumb, który odkrył Amerykę, był początkowo przekonany, że dopłynął do Indii…

# Dlaczego dokonywano odkryć geograficznych?

### Kim byli dawni odkrywcy?

Byli z pewnością odważnymi ludźmi, bo jak już wiemy, do takich świat należy. Do niebezpiecznej wyprawy skłaniała ich nie tylko ciekawość i chęć zdobycia sławy, ale także pragnienie wzbogacenia się, podarowania swemu krajowi nowych ziem, które jeszcze do nikogo nie należały. Przede wszystkim zaś – chcieli poznać coś nowego i przekazać tę wiedzę swoim rodakom po powrocie z wyprawy.

### Pieprz, złoto, goździki...

Od czasów starożytnych Europa utrzymywała kontakty z kupcami z Chin i Indii. Długie karawany przemierzały tysiące kilometrów szlaków handlowych. Wiozły towary, których w Europie nie było: delikatne jedwabie i atłasy, niezwykłe złote ozdoby, perły, drogie kamienie i... przyprawy. Tak, tak! Pieprz, goździki, gałka muszkatołowa, cynamon czy imbir należały do najdroższych luksusów!

Pomnik odkrywców w Lizbonie

Jednak w połowie XV wieku Turcy i Arabowie zablokowali ten handel. Przecięli szklaki karawan, mordowali i przepędzali kupców z Zachodu, a od tych ze Wschodu odkupywali towar. I zaczęli dyktować Europejczykom takie ceny, że… Masz torebkę pieprzu ze sklepu? Zawiera 20 gram tej przyprawy i kosztuje 1,50 zł. Ciekawe, czy mama kupiłaby ją, gdyby kosztowała tyle co 20 gramów złota, czyli 2 500 zł? A takie ceny zaczęły osiągać przyprawy w drugiej połowie XV wieku. Były – dosłownie – na wagę złota! Tymczasem ówczesnej Europie brakowało zarówno przypraw, jak i złota!

## Spróbujcie opłynąć Arabów!

Tak mógł brzmieć rozkaz dowolnego króla na naszym kontynencie. Europejczycy domyślali się, że do Indii na pewno da się dotrzeć morzem i przywieźć luksusowe towary bez pośrednictwa chciwych Arabów i Turków, czyli taniej! Zatem to kupcy i królowie mieli najwięcej do powiedzenia w kwestii wyboru kierunku rejsu! Uczeni musieli trochę poczekać na swoją kolej.

## Zbijcie ceny i wszystkich, którzy spróbują wam przeszkodzić!

To kolejny rozkaz dla odkrywców wyruszających na poszukiwania drogi do Indii. Nic dziwnego. Pół kilo pieprzu w XIII wieku kosztowało w Europie tyle, co kilka krów (czyli równowartość trzyletnich dobrych zarobków). A ceny dopiero zaczynały rosnąć… Sto lat później hiszpański kwintal (czyli 50 kilogramów) pieprzu lub goździków na wyspach Oceanu Indyjskiego, gdzie rosły, kosztował 2 dukaty (bardzo dużo!). W indyjskim porcie Kalikat, dokąd przybywali kupcy, już 50 dukatów (fortuna!). Zaś po przewiezieniu do Londynu, Madrytu lub Paryża – ponad 200 dukatów (równowartość solidnej kumulacji w dzisiejszego „totka"). Trzy do pięciu kilo cennej przyprawy wystarczyło na kupienie porządnego domu lub gospodarstwa. Nic dziwnego, że królowie wysyłali okręty pełne uzbrojonych po zęby żołnierzy, by dotrzeć do tych skarbów bez pośredników. Tak rozpoczęły się wielkie odkrycia – od marzeń o handlowej potędze, od wielkiej chciwości i wielkich ambicji. No cóż, 50 kilo goździków mieściło się w beczce. Takich beczek okręt mógł przywieźć kilkadziesiąt…. A za 200 dukatów można już było przygotować kolejną wyprawę…

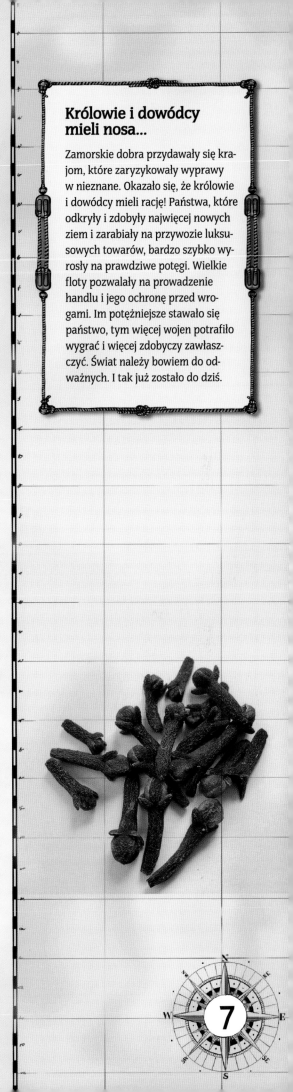

### Królowie i dowódcy mieli nosa…

Zamorskie dobra przydawały się krajom, które zaryzykowały wyprawy w nieznane. Okazało się, że królowie i dowódcy mieli rację! Państwa, które odkryły i zdobyły najwięcej nowych ziem i zarabiały na przywozie luksusowych towarów, bardzo szybko wyrosły na prawdziwe potęgi. Wielkie floty pozwalały na prowadzenie handlu i jego ochronę przed wrogami. Im potężniejsze stawało się państwo, tym więcej wojen potrafiło wygrać i więcej zdobyczy zawłaszczyć. Świat należy bowiem do odważnych. I tak już zostało do dziś.

# Co wiedziano o świecie przed wiekami?

## W końcu... kula czy talerz?

Wiele starożytnych map przedstawia świat, jaki wówczas znali geografowie: Europa i Afryka wyglądają jak dwie połówki koła przecięte poszarpaną dziurą Morza Śródziemnego, Azję dorysowano niemal przy linijce, bo wiedziano, że skoro istnieje, to jakoś musi wyglądać, a Półwysep Indyjski przypomina niewielki ogonek na końcu świata. Całość z powodzeniem mogłaby się zmieścić na Ziemi płaskiej i owalnej jak półmisek. Zresztą wiele osób sądziło, że taka właśnie jest nasza planeta.

Choć grecki uczony Ptolemeusz urodzony w 100 roku przekonująco udowodnił, że Ziemia jest kulą, jeszcze grubo przez ponad tysiąc lat wielu ludzi uważało to za brednie.

A jeśli nawet wierzyli... to nie mieli pojęcia o jej rozmiarach. Krzysztof Kolumb w XV wieku przekonywał, że z Europy do Azji nie powinno być dalej niż 2400 mil morskich (a jedna mila morska to 1852 m). W rzeczywistości trzeba było płynąć cztery razy więcej, a po drodze piętrzyły się dwie Ameryki, o których istnieniu biedny Kolumb nie miał pojęcia.

### Kraken

Potwornych rozmiarów ośmiornica, zdolna owinąć mackami okręt i porwać go w głębiny. Czy to możliwe? Największe znane ludziom kałamarnice osiągają do 20 metrów długości, z czego same macki mogą liczyć ok. 15 metrów. Problem w tym, że żyją one na wielkich głębokościach i z własnej woli rzadko wypływają na powierzchnię.
A może kiedyś wypływały? Wyobraźcie sobie załogę żaglowca liczącego 25 metrów długości, posiadającego 18-metrowej wysokości maszty, która napotyka paskudztwo posiadające dziesięć ramion o podobnych wymiarach. Wyobraźcie sobie, „co by było gdyby..." i już opowieść zaczyna się sama.

Zresztą, do takiego ataku doszło na pewno jeden raz. W 1861 roku francuska korweta została zaatakowana przez ośmiornicę. Załoga obroniła się, strzelając z dział!

### Lewiatan

Król wielorybów, wielki jak wyspa, długi na milę, potężny tak, że jednym pluśnięciem ogona potrafił wywołać sztormową falę i zatopić okręt. Nie wiemy, do jakiej wielkości mogły dorastać wieloryby przed 500 laty, ale nawet jeśli były o połowę większe niż dziś, to i tak trochę im brakowało do tego opisu.

# Tam są lwy. I nie tylko...!

Uczeni ze starożytnego Rzymu rysowali całkiem udane mapy tych ziem, które były już dobrze znane. Jednak w końcu musieli dotrzeć na papierze do miejsca, gdzie kończyła się ówczesna wiedza o tym, jak wygląda świat. Pozostawiano tam białe plamy i pisano: *Hic sunt leones*, czyli: „Tam są lwy". Stąd wzięło się powiedzenie o „białych plamach na mapie", czyli o miejscach, o których nie wiadomo, co się tam naprawdę znajduje...

Jednak perspektywa spotkania lwa była niczym, w porównaniu z tym, co opowiadali żeglarze po powrocie z dalekich rejsów. Ich relacje sprawiały, że świat zdawał się roić od potworów i niewytłumaczalnych zjawisk. Pora na przegląd marynarskich opowieści mrożących krew w żyłach...

## Morze Ciemności

Starożytni Grecy nazywali tak Ocean Atlantycki, o którym wiedzieli tylko, że istnieje. W późniejszych czasach żeglarze wierzyli, że rozciąga się ono u wybrzeży Afryki, tuż za Przylądkiem Nie (jeszcze o nim przeczytacie!), mniej więcej w okolicy równika. Woda jest tam czarna i galaretowata, pełna potworów, które zatapiają okręty....

## Syreny

W głębinach morskich żyją piękne pół-kobiety, pół-ryby. Ich śpiew wabi żeglarzy, którzy pod jego wpływem głupieją, zakochują się i... no cóż, piękne i bezlitosne panny wodne zatapiają statki, rabują kosztowności, a żeglarzy pożerają.

## Koniec świata

Zadziwiająco długo, bo mniej więcej do XVII wieku, nie wszyscy wierzyli w to, że Ziemia jest kulą. Wielu żeglarzy uparcie dowodziło, że dopłynęli na kraniec świata, a tam ocean przelewa się przez krawędź płaskiej Ziemi i spada wodospadem w nicość, jak woda rozlana po stole. Oczywiście okręt, który zapuści się zbyt blisko spada w kosmos, ale oni jakimś cudem zrobili zwrot i popłynęli z powrotem do domu.

## Psiogłowcy i inni

Ci, którzy docierali do odległych wysp, opowiadali niestworzone historie o zamieszkujących je ludziach z psimi głowami lub posiadającymi tylko jedną nogę. O dzikich ludziach pokrytych sierścią, olbrzymach, karłach i potworach. No cóż, pewnie możemy się śmiać, ale pamiętajcie, że pierwszy człowiek, który próbował opisać Europejczykom żyrafę, też został wzięty za łgarza.

## Góra Magnesowa

Żeglarze z przerażeniem opowiadali o wystającej z morza magnetycznej skale. Miała ona tak straszliwą moc przyciągania, że z drewnianych kadłubów statków wyrywała gwoździe, okucia i wszystkie metalowe części z guzikami załogi włącznie. Okręt rozpadał się, a załoga tonęła. To niewiarygodne, ale Górę Magnesową zaznaczano na mapach jeszcze w XVI wieku! W dodatku na każdej mapie znajdowała się ona gdzie indziej.

## Czemu żeglarze wygadywali te głupstwa?

Żeglarze zmyślali lub podkręcali opowieści o prawdziwych przygodach, ponieważ po pierwsze: im bardziej straszliwa była opowieść, tym więcej przyciągała słuchaczy. Wtedy wielu chciało fundować opowiadającemu kolejne kubki wina, byle tylko ciągnął dalej zajmującą historię. Po drugie: i tak nikt poza innymi żeglarzami nie był w stanie sprawdzić, czy mówią prawdę. Po trzecie – dzięki temu zdobywali sławę jako dzielni i wspaniali podróżnicy! Każdy, kto powracał z dalekiego rejsu, witany był jak bohater, który zobaczył i przeżył coś, o czym inni mogli tylko pomarzyć. I – przede wszystkim – wcale się nie bał!

## Czego dziś unikać na oceanach?

Jest kilka miejsc, których nie lubią żeglarze. Oto one:

- **Ryczące Czterdziestki**: to obszary wodne położone w okolicy 40 stopnia szerokości geograficznej południowej. Szaleją tam gwałtowne sztormy, potężne wiatry i jest przeraźliwie zimno.

- **Wyjące Pięćdziesiątki**: dziesięć stopni dalej na południe rozciąga się obszar najsilniejszych wiatrów na Ziemi. Żeglowanie tam to niemal pewna śmierć.

- **Bezludne Sześćdziesiątki**: wody Oceanu Południowego otaczające Antarktydę. Nie spotyka się tam ludzi. To królestwo zimnej, bezlitosnej przyrody.

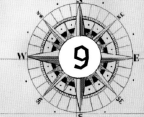

# Pierwsi starożytni odkrywcy

## Ci niezwykli Fenicjanie...

Wyobraźcie sobie, że najwspanialsi podróżnicy i kupcy starożytności pochodzili z niewielkiego ludu, który zamieszkał przed 4 tysiącami lat mały skrawek śródziemnomorskiego wybrzeża. To tam, gdzie dziś na mapie odnajdziesz Liban, część Syrii i Palestyny. Ich państewko otoczone było niedostępnymi górami, a za nimi rozpościerały się ziemie silniejszych i niezbyt przyjaznych sąsiadów. Jeżeli Fenicjanie mieli rozwijać państwo, bogacić się na handlu i zdobyć nowe terytoria, pozostawała im tylko jedna droga – Morze Śródziemne.

Przez tysiąc lat założyli mnóstwo kolonii na wybrzeżu Afryki i na wyspach – Cyprze, Sycylii, Sardynii i Krecie. Fenickie miasta i porty handlowe należały do najbogatszych i najwspanialszych w starożytnym świecie, a ich okręty nie miały sobie równych na Morzu Śródziemnym. Może dlatego pewnego dnia, 2500 lat temu, egipski faraon Necho II wysłał fenicką flotę z zadaniem... opłynięcia Afryki dookoła. Mieli wyruszyć z Morza Czerwonego, a przybyć od zachodu i północy, przez cieśninę zwaną wówczas Słupami Heraklesa – dziś znaną jako Gibraltar.

## Według lądu i gwiazd

Starożytni żeglarze starali się pływać statkami w pobliżu lądu. Dzięki temu łatwiej orientowali się, gdzie się znajdują i mogli w razie niebezpiecznej pogody szybko dobić do brzegu. Jednak Fenicjanie mieli świetnych astronomów – uczonych obserwujących zmiany pozycji gwiazd. Dzięki znajomości astronomii i dokładnym mapom nieba potrafili żeglować na pełnym morzu, z dala od lądu, a kierunek wyznaczali według położenia gwiazd.

## Skąd faraon wiedział?

Wiele wskazuje na to, że Necho II nie wysłał Fenicjan, żeby sprawdzili, czy uda się opłynąć Afrykę, tylko żeby po prostu to zrobili. Skąd wiedział, że to jest możliwe? Tego nie uda nam się ustalić. Wiemy jednak, że wiedza i umiejętności starożytnych cywilizacji były potężniejsze niż się nam wydaje. W końcu udało im się wybudować gigantyczne piramidy przed 4,5 tysiącami lat, obliczać z wielką dokładnością ruchy planet i przeprowadzać skomplikowane operacje chirurgiczne!

Faraon miał pewność, że da się opłynąć Afrykę. I wiedział, że jedynie Fenicjanie są na tyle odważni i doświadczeni, by wyruszyć w nieznane, gdzie jeszcze nikt nie dotarł. Nie znamy nazwisk ani imion tych dzielnych ludzi, ale ich wyczyn przetrwał do naszych czasów. Gdy okazało się, że wyprawa odniosła sukces, Fenicjanie przez następne stulecia wyprawiali się na odległe afrykańskie wybrzeża, a nawet do Indii, zakładając na wybrzeżach handlowe porty i zdobywając cenne towary. Jedna z ich wypraw dotarła do Anglii, skąd przywieziono ceniony w starożytności metal – cynę.

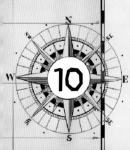

## Trzy lata podróży i uprawiania ziemi

W poszukiwaniu złota, cyny i miedzi flota galer napędzanych wiatrem i wiosłami wyruszyła z Morza Czerwonego około roku 600 przed naszą erą. Niewiele wiemy o przebiegu wyprawy, prócz tego, że trwała ona… aż trzy lata. Czemu tak długo? Ponieważ dzielni żeglarze dwukrotnie zmieniali się w rolników! Gdy nadchodziła jesień, przybijali do brzegu, przygotowywali i obsiewali pola, czekali aż wyrośnie zboże i ruszali dalej dopiero po żniwach. W ten sposób zapewniali sobie pożywienie na dalsze miesiące tułaczki po nieznanych wodach. W trzecim roku wyprawy zakręcili wraz z uchodzącą w prawo linią brzegu i przez Cieśninę Gibraltarską i Morze Śródziemne dotarli do Egiptu. Afryka okazała się więc ogromną prawie-wyspą.

## Galera

Starożytne okręty były niskie, by siedzący przy burtach wioślarze mogli łatwo utrzymywać długie wiosła w wodzie. Miały wąskie kadłuby, co zapewniało im zwrotność i szybkość. Napędzał je prostokątny, szeroki żagiel rozpięty na maszcie przy pomocy poziomej rei. Galera przy sprzyjającym wietrze i silnych wioślarzach mogła osiągnąć prędkość około 4 węzłów, czyli około 7,5 kilometra na godzinę. Teraz wyobraź sobie, że z taką szybkością masz przepłynąć trasę liczącą pięć i pół tysiąca kilometrów… Większe jednostki – triery – były nieco szybsze, ale do obsługi każdego wiosła potrzeba było aż trzech ludzi. Statek stawał się o wiele cięższy, gdyż dla liczniejszej załogi trzeba było zabrać więcej wody i pożywienia. Nie było mowy o kabinach, wygodnych łóżkach czy stołach, a pod pokładem nie zostawało zbyt wiele miejsca, jeśli statek wiózł zapasy lub towary na handel. Podróż takim okrętem była daleka od przyjemności.

## Pyteasz bada Bałtyk

Około 350 lat przed narodzeniem Chrystusa w podróż wyruszył grecki podróżnik Pyteasz z Marsylii. Minąwszy Gibraltar, popłynął na północ, ku Wyspom Cynowym, jak wówczas nazywano Wielką Brytanię. Jednak Pyteasz wypuścił się jeszcze dalej, aż poza Islandię. Jego relacja jest przerażająca: „nie ma tam lądu, ani morza, ani powietrza. Wszystko jest mieszaniną, wszystko w niej jest zawieszone, przejść ani przepłynąć nie sposób…". Prawdopodobnie Pyteasz dotarł do północnych wód pokrytych pływającą krą lodową i mgłą – widok to niezrozumiały dla żeglarza z ciepłych okolic Morza Śródziemnego! W drodze powrotnej dzielny Grek prawdopodobnie wpłynął na Bałtyk, pisał bowiem o wyspach, na które morze wyrzuca bryły bursztynu.

### Słowniczek

**Kolonie** – tereny zajęte przez jakieś państwo, ale leżące daleko od jego granic. Obowiązywały tam prawa i przepisy te same, co w kraju, który zajął te tereny, rządził ten sam król, a władzę w koloniach sprawowali wskazani przez niego urzędnicy. Kolonie zwane też były „terytoriami zamorskimi". Natomiast miejsca, w których sprzedawano towary przywiezione z tych dalekich stron nazywano „sklepami kolonialnymi".

**Astronom** – uczony zajmujący się badaniem kosmosu, ruchu gwiazd i planet, odkrywaniem gwiazdozbiorów i obserwacją zjawisk zachodzących w kosmosie, na przykład zaćmień Słońca i Księżyca.

# Statek – prawdziwy bohater naszej książki

Fregata

## Od pnia do żaglowca

Początek brzmi jak z bajki, ale jest najszczerszą prawdą: człowiek postawił żagle i zapanował nad wiatrem na długo zanim osiodłał konia...

Pierwszym pojazdem w historii świata był pień drzewa unoszący się na wodzie. Z czasem ktoś wpadł na pomysł, by ociosać go z gałęzi, wyrównać kształt i wydłubać w środku dziurę, w której można by usiąść. Ktoś inny związał kilka pni razem i powstała tratwa. Co najmniej 10 tysięcy lat temu ludzie znali już wiosło, a niewiele później narodził się żagiel – kawał skóry lub płótna rozwieszony na pionowym kiju, do którego przymocowano poziomą poprzeczkę. Ludzka pomysłowość przynosiła kolejne wynalazki: kotwicę, ster, opływowy kształt kadłuba z zaostrzonym dziobem, wreszcie – niespełna tysiąc lat temu – kompas magnetyczny do ustalania kierunków świata. Tak rodził się statek. Bez niego człowiek nie odkryłby świata, który przyszło mu zamieszkiwać.

## Małe państwo na wielkim oceanie

Gdy statek wyruszał w rejs, stawał się miniaturowym państwem rządzonym przez kapitana. Nawigator i sternik dbali, by nie zgubić drogi, od siły wioślarzy i marynarzy obsługujących żagle zależało, czy pokonają sztorm, uciekną piratom i czy w ogóle dopłyną do celu. Kucharz odpowiadał za przyrządzanie posiłków, ktoś inny dbał, by żywność się nie popsuła, a przewożone towary dotarły na miejsce bezpiecznie ustawione w ładowniach. Załoga była zdana na siebie, musiała działać wspólnie, jeśli chciała przeżyć. A statek? Okazywał się tak dzielny, tak niezawodny i tak niezwyciężony, jak dzielni i niezwyciężeni byli marynarze, których zabierał w podróż w nieznane.

Galeon

## Skąd się brały smoki i oczy...

Dzioby statków od najdawniejszych czasów ozdabiano rzeźbami bóstw, potworów lub symbolicznych figur. Starożytne galery miały wymalowane oczy, tak że płynący statek przypominał twarz potężnego boga mórz. Wikingowie ozdabiali **dziobnicę** głową smoka lub węża, by odstraszała ona bóstwa opiekujące się wrogami, ale zdejmowali je, wracając do ojczyzny, aby nie straszyły własnych, domowych duchów. W wiekach późniejszych figura zdobiąca dziób została nazwana galionem i przedstawiała patrona statku (np. postać świętego albo antycznej bogini) lub zwierzę, a nawet baśniowego potwora. Traktowano ją jak opiekuńczy talizman, czyli symboliczny przedmiot przynoszący szczęście statkowi i załodze.

## Jaki ważny symbol!

Życie człowieka od wieków porównywano do żeglowania. Każdy dzień życia przynosi niespodzianki, podobnie jak każdy dzień rejsu po nieznanych wodach. Statek jest symbolem nadziei i ocalenia (przypomnij sobie Arkę Noego!). Statek był też przedstawiany jako symbol duszy, która żegluje przez życie, by dotrzeć do portu, jakim jest zbawienie. A przejście ze świata żywych do świata umarłych? Wspomnijcie mity greckie i postać Charona albo wierzenia Egipcjan opowiadające o barce Boga-Słońca. Każdemu zmarłemu kładziono na powiekach lub do ust monety – opłatę za kurs do świata umarłych. Kościół chrześcijański także porównywano do łodzi, która mimo niebezpieczeństw dowiezie dusze wiernych do portu, jakim jest Raj.

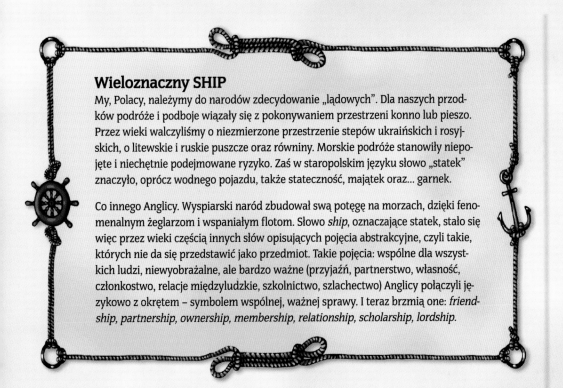

### Wieloznaczny SHIP

My, Polacy, należymy do narodów zdecydowanie „lądowych". Dla naszych przodków podróże i podboje wiązały się z pokonywaniem przestrzeni konno lub pieszo. Przez wieki walczyliśmy o niezmierzone przestrzenie stepów ukraińskich i rosyjskich, o litewskie i ruskie puszcze oraz równiny. Morskie podróże stanowiły niepojęte i niechętnie podejmowane ryzyko. Zaś w staropolskim języku słowo „statek" znaczyło, oprócz wodnego pojazdu, także stateczność, majątek oraz... garnek.

Co innego Anglicy. Wyspiarski naród zbudował swą potęgę na morzach, dzięki fenomenalnym żeglarzom i wspaniałym flotom. Słowo *ship*, oznaczające statek, stało się więc przez wieki częścią innych słów opisujących pojęcia abstrakcyjne, czyli takie, których nie da się przedstawić jako przedmiot. Takie pojęcia: wspólne dla wszystkich ludzi, niewyobrażalne, ale bardzo ważne (przyjaźń, partnerstwo, własność, członkostwo, relacje międzyludzkie, szkolnictwo, szlachectwo) Anglicy połączyli językowo z okrętem – symbolem wspólnej, ważnej sprawy. I teraz brzmią one: *friendship, partnership, ownership, membership, relationship, scholarship, lordship.*

### Statek czy okręt?

Czy obie te nazwy znaczą to samo? Dzisiaj już niekoniecznie. Oba określenia dotyczą pojazdu, który porusza się po wodzie. Jednak statek jest pojazdem cywilnym – transportowcem, wycieczkowcem, holownikiem itp. Okręt natomiast należy do marynarki wojennej, a więc jest uzbrojony. W czasach wielkich odkryć geograficznych nie przywiązywano do tego większego znaczenia, ponieważ każdy statek wiózł na pokładzie uzbrojenie. I każdy mógł w miarę potrzeb zostać przerobiony na jednostkę bojową.

### Słowniczek

**Dziobnica** – belka łącząca burty statku na dziobie i stanowiąca przedłużenie innej belki, biegnącej na samym dole kadłuba, czyli stępki. Dziobnica musiała być bardzo gruba, twarda i wytrzymała skoro miała rozcinać fale i przyjmować uderzenie skał i innych przeszkód, na które statek mógł wpłynąć.

**Nawigator** – członek załogi odpowiedzialny za wyznaczanie kursu i pozycji statku, a także nadzorujący manewry w trudnych miejscach – na przykład w cieśninach, podczas opływania wysp itp. Musi świetnie znać się na czytaniu map, astronomii, matematyce i sterowaniu statkiem.

## Skokami przez Atlantyk

Czy naprawdę udawało się pokonać ocean tak małymi statkami? Norwegowie musieli to sprawdzić, jeżeli chcieli chwalić się przed światem, że ich przodkowie pokonali Atlantyk jako pierwsi. W latach 1896 i 1932 zbudowali wierne kopie prawdziwych łodzi wikingów i popłynęli. Obie bez trudu dotarły do Ameryki i z powrotem.

W dodatku wikingowie wcale nie musieli pokonywać oceanu za jednym zamachem. Po drodze mogli zatrzymywać się na archipelagu Szetlandów, na Wyspach Owczych, następnie na Islandii, Grenlandii i wreszcie docierali do Nowej Funlandii, czyli do wybrzeży Ameryki Północnej. „Przystanki" były od siebie oddalone o kilkaset mil, więc dość daleko, ale pozwalały na nieco wytchnienia po długich dniach morderczej żeglugi.

Statek wikingów

## Dokąd dotarli wikingowie?

Zdobyli Islandię i około 860 roku założyli tam swoje osady.

Dość szybko odkryli też Grenlandię, na której w ciągu stu lat zamieszkało ponad trzy tysiące przybyszów ze Skandynawii. W roku 1000 kolejna wyprawa dotarła do północno-wschodnich wybrzeży Ameryki Północnej – na Półwysep Labrador, który przybysze nazwali Vinlandią.

# Zapomniany wyścig do Ameryki: wikingowie kontra Chińczycy

### Odkrywana raz po raz...

Oficjalna historia odkryć geograficznych głosi, że Europejczycy odkryli Amerykę jako pierwsi. Dlaczego? Ponieważ to Hiszpanie i Portugalczycy dotarli do niej, zbadali nieznany (dla nich) ląd i powrócili do Europy, by opowiedzieć o swoim wyczynie. Opisali też swe odkrycia i rozpowszechnili wieści o nich.

No tak..., ale my już wiemy, że nie byli pierwsi. Tajemnicze kontynenty oddzielające Atlantyk od Pacyfiku miały swoich mieszkańców, którzy „odkryli" je tysiące lat wcześniej i osiedlili się tam. Poza tym – przez Ocean Atlantycki mknęły długie łodzie wikingów, którzy postawili stopę na lądzie po drugiej stronie Atlantyku przynajmniej 500 lat przed Hiszpanami! To jednak nie koniec niespodzianek. XV-wieczne Chiny, o których

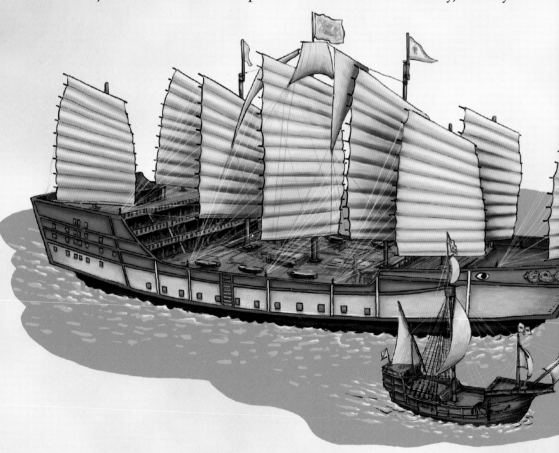

Europejczycy wiedzieli tyle, że istnieje taki kraj, z rozkazu cesarza Yongle wybudowały flotę liczącą prawie 4 tysiące statków. Gdyby największe z nich zawinęły do dowolnego portu w Europie, wybuchłaby panika. Czegoś takiego w naszej części świata po prostu nie widziano. Równie dobrze na horyzoncie mógłby pojawić się współczesny atomowy lotniskowiec...

## Chińskie kolosy admirała Zheng He

Okręt, na którym Kolumb wyruszył na spotkanie Ameryki w 1492 roku, liczył 27 metrów długości i miał trzy maszty. Tymczasem chiński oceaniczny statek wyglądał przy nim jak pojazd z kosmosu – miał 150 metrów długości, 60 metrów szerokości, a jego pokład znajdował się wyżej niż powiewały bandery na statku Kolumba. Siedem masztów obleczonych w żagle z mat bambusowych wznosiło się ku niebu niczym płetwy grzbietowe potwornego smoka. Coś podobnie wielkiego zostanie zwodowane w Europie dopiero 400 lat później.

Chińczycy żeglowali przez oceany do Indii, Afryki, na Filipiny. Sam Zheng He w latach 1405 – 1423 odbył sześć wielkich wypraw na krańce świata. O tym, że dotarł do wielkiego kontynentu leżącego po drugiej stronie Pacyfiku, mogą świadczyć dobrze zachowane i dość dokładne mapy tych stron. Z całą pewnością Chińczycy musieli opłynąć i zbadać całe zachodnie wybrzeże obu Ameryk.

## Długie łodzie Eryka Rudego

Niewiele statków mogłoby się poszczycić tak wspaniałymi osiągami jak słynne długie łodzie wikingów. Niskie, smukłe (zaledwie 3 metry szerokości) i długie (20-40 metrów) statki zanurzały się na niecały metr. Mogły więc dopłynąć do każdej plaży, portu, pokonać najpłytszą rzekę. Wiatr pchał je do przodu, napierając na ogromne prostokątne żagle. Kilkudziesięciu wioślarzy (na największych jednostkach było ich 60, na mniejszych – 30) potrafiło rozpędzić statek do sześciu kilometrów na godzinę, ale jeśli wiał dobry wiatr, wioślarze i żagiel rozpędzali długą łódź do nawet 20 kilometrów. Łodzie nie miały pokładów, wszyscy członkowie załogi oraz przewożone towary i zwierzęta musieli pomieścić się na dnie kadłuba, bez ochrony przed bryzgami wody, wiatrem, przenikliwym zimnem. Wikiński langskip, czyli długa łódź, może była śmigłym i wspaniałym statkiem, ale podróżowanie nią nie należało do przyjemności.

Na największych jednostkach załoga miała do dyspozycji ciemne i ciasne pomieszczenia, wysokie na niewiele ponad metr – akurat by się tam wczołgać i przespać! Przez cały rejs nie rozpalano ognia, nie gotowano ciepłych posiłków, o myciu i zmianie ubrań nie wspominając...

### Straszliwe końskie szerokości

Po obu stronach równika, mniej więcej pomiędzy 30 a 35 stopniem (sprawdź na mapie, gdzie to jest), ruch powietrza nagle zamiera. Żaglowce muszą pokonać spory kawał drogi jedynie dryfując i czekając na wiatr. W dawnych wiekach z Europy do Ameryki transportowano przez ocean konie. Jednak na tych szerokościach trzeba było bardzo oszczędzać wodę pitną, by wystarczyło jej dla załogi i pasażerów. Gdy cisza morska się przedłużała, zabijano konie, by więcej wody zostało dla ludzi.

### Zaginione odkrycia

Wikingowie z ubogiej i skalistej Norwegii żeglowali na zachód w poszukiwaniu ziem, gdzie mogliby hodować bydło i uprawiać rolę. Nie byli zainteresowani poznaniem i opisaniem nowych krain. Obchodziło ich jedynie, czy da się tam zamieszkać i pokonać ludzi, którzy już tam żyli.

Inaczej myśleli Chińczycy. Cesarz Yongle wysyłał wyprawy, w których udział brali naukowcy, znawcy języków, przyrodnicy, geografowie i astronomowie. Cesarz chciał poznać świat, dowiedzieć się wszystkiego na temat ludzi, obyczajów, zjawisk, przyrody, skarbów i wszelkich tajemnic, jakie kryły nieznane lądy i morza. Wikingowie wyruszali na podbój, zaś Chińczycy na naukowe wyprawy.

O ile waleczni Skandynawowie nie spisali kronik swych odkryć, o tyle Chińczycy przywieźli przebogate relacje, zapiski i dokumenty, z których dałoby się stworzyć najdokładniejszy podręcznik XV-wiecznego świata. Niestety, po śmierci cesarza Yongle jego następcy nie byli tym zainteresowani. Najpierw nakazano zniszczenie oceanicznej floty, potem zabroniono budować statki zdolne do dalekiej żeglugi, wreszcie spalono wszystkie zapiski z wypraw.

## Jakie cuda opisał Marco Polo?

- Źródła oleju w Gruzji (pierwsza relacja o wydobyciu i właściwościach nafty).
- Wielkie chińskie statki o kadłubach podzielonych na wodoszczelne przedziały.
- Papierowe (drukowane) pieniądze Wielkiego Chana.
- System dróg i poczt królewskich ze stacjami dla posłańców.
- Fabryki jedwabnych tkanin przetykanych prawdziwymi złotymi nićmi.
- 1800-kilometrowy sztuczny kanał Hangczou-Pekin (istnieje do dziś).
- Sztukę tatuażu, nieznaną w Europie.
- Orzechy kokosowe, nieznane w Europie.
- Kopalnie drogocennych rubinów.
- Powszechną w Azji sztukę czytania i pisania – wówczas w Europie takimi umiejętnościami mógł poszczycić się co setny człowiek.

## Czego dowiedzieli się Europejczycy?

Uważny czytelnik (a takich nie brakowało!) wysnuł z książki Marco Polo następujące wnioski:

- do Azji jest bardzo daleko i podróż lądem jest niebezpieczna;
- znajdują się tam bogactwa, które są warte każdego ryzyka;
- drogą lądową nie da się przywieźć zbyt wiele;
- a gdyby tak spróbować popłynąć tam statkiem…?

# Marco Polo, czyli daleka droga do Chin

Jest XIII wiek. Mieszkańcy naszej części świata i Azji handlują ze sobą od niepamiętnych czasów, a kupieckie karawany przemierzają pustynne szlaki – od Chin i Mongolii po wybrzeża Morza Śródziemnego. Podróżowanie tą drogą nie było bezpiecznym zajęciem. W dodatku okrutne armie Mongołów właśnie podbiły część Azji i wschodniej Europy. Zapuściły się nawet do Polski, zadając nam klęskę w bitwie pod Legnicą w 1241 roku i porywając w niewolę tysiące mieszkańców. Na Europejczyków padł strach. Zabrzmi to niewiarygodnie, ale z tego strachu powzięto odważne decyzje: by wysłać do władcy Mongołów poselstwo i spróbować się z nim porozumieć.

## Posłowie i kupcy

W niebezpieczną drogę, nie wiedząc, jak będzie ona daleka, wyruszyli zakonnicy. Pierwsze poselstwo dotarło do Wielkiego Chana Mongołów w 1245 roku. W wyprawie dowodzonej przez włoskiego duchownego Giovanniego del Carpine brał udział franciszkanin z Wrocławia, znany jako Benedykt Polak. To nasz pierwszy rodak wśród odkrywców świata!

Benedykt Polak i Giovanni da Pian del Carpine przed Gujuk chanem (Miniatura z XIV-wiecznego manuskryptu, Biblioteka Narodowa w Paryżu)

Marco Polo w stroju tatarskim

Skoro zakonnikom udało się dotrzeć do Azji i powrócić, kupcy, pragnący wzbogacić się na handlu ze Wschodem, nie chcieli być gorsi. Jako jedni z pierwszych wyruszyli bogaci obywatele Wenecji: bracia Nicolo i Maffeo Polo. Żona pana Nicolo pozostała w domu, ponieważ spodziewała się dziecka. Chłopczyk, który urodził się w 1254 roku i otrzymał imię Marco, musiał poczekać z poznaniem swego taty aż 15 lat, tyle trwała bowiem podróż obu braci. W tym czasie Wenecjanie handlowali, zwiedzali egzotyczne krainy i jako przedstawiciele chrześcijańskiej Europy odwiedzali arabskich i mongolskich władców.

# Marco Polo, który opisał Azję

Nie wiemy, czy Marco Polo marzył o dalekich wyprawach, czy chciał pójść w ślady ojca, o którym przez całą młodość jedynie słyszał. Jednak los sprawił, że został jednym z najsłynniejszych podróżników. W roku 1271 wyruszył wraz z ojcem i wujem w podróż do Chin, jako poseł papieża do Wielkiego Chana Mongołów. Wędrowcy przemierzyli Turcję, kraje arabskie, niedostępne góry Tybetu, pustynie i stepy. Marco był dobrym obserwatorem, szybko uczył się nowych języków, chętnie poznawał obyczaje egzotycznych ludów, przez ziemie których przejeżdżali. Przez kilka następnych lat jego ojciec i wuj prowadzili interesy w państwie Chana, gromadząc ogromny majątek, zaś Marco został zaufanym urzędnikiem władcy, który zlecał mu różne handlowe i polityczne misje. Dzięki temu Marco poznał znakomicie Mongolię, Indie oraz Chiny. Po powrocie z podróży, która trwała 24 lata, wspomnienia Marco okażą się jedyną encyklopedią wiedzy o „tamtej stronie świata".

I jeszcze jedno: Marco Polo dorobił się wielkiej fortuny i w rodzinnej Wenecji spokojnie dożył siedemdziesięciu lat. Choć jego wspomnienia były bardzo popularne, nie wszyscy dawali wiarę opowieściom o egzotycznych przygodach. Niektórzy krewni namawiali go nawet, by przestał wreszcie zmyślać. „Nie zapisałem nawet połowy rzeczy, które oglądałem" – miał odrzec sędziwy podróżnik.

# Dokąd dotarł Marco Polo?

W drodze do Mongolii przebył kraje arabskie, dzisiejszy Afganistan i Pakistan, Tybet, Pustynię Gobi i północne Chiny. W służbie Wielkiego Chana wyprawił się do Indii, Indonezji, odwiedził wyspy: Sumatrę i Cejlon (dziś nazywa się ona Sri Lanka), a także wyprawił się morzem ku wschodniej Afryce i Wyspie Zanzibar. Wielki Chan Mongołów próbował w owym czasie podbić dwa państwa leżące na wyspach: Japonię i Jawę. Marco nigdy w nich nie był, jednak dzięki relacjom mongolskich wojskowych sporządził pierwsze opisy tych krajów, o których istnieniu nie wiedziano jeszcze w Europie. Uwaga, Japonia została opisana i nazwana Cipang.

Podróż Marco Polo karawaną przez Azję

## Marco Polo dyktuje wspomnienia

Po powrocie do ojczyzny pomysł spisania historii wyprawy podsunął mu pisarz nazwiskiem Rusticello. Obaj panowie poznali się w... więzieniu. Jak do tego doszło? W 1298 roku słynny podróżnik został dowódcą weneckiej floty w wojnie przeciwko Genui. Po przegranej bitwie morskiej dostał się do niewoli. Rusticello, zachwycony barwną opowieścią Wenecjanina, zaproponował zebranie jego wspomnień w książce. Wspólnie nadali jej tytuł *Opisanie świata*. Kilkaset ręcznie przepisanych egzemplarzy (pamiętajcie, że wówczas nie znano jeszcze w Europie druku!) cieszyło się ogromnym powodzeniem na dworach królewskich i w siedzibach bankierów finansujących dalekie wyprawy. Książka Marco Polo należała do najważniejszych źródeł wiedzy o Azji jeszcze przez ponad 100 lat! Zabrał ją ze sobą w podróż Krzysztof Kolumb, a także kronikarz pierwszej wyprawy dookoła świata – Antonio Pigafetta, których niebawem poznacie.

# Oto świat z XV wieku...

### Kula, czy nie kula?

Pogląd, że Ziemia jest kulista był znany uczonym już od czasów starożytnego astronoma Ptolemeusza. Jednak, jak wiadomo, uczeni często dowodzą istnienia rzeczy, w które ciężko uwierzyć przeciętnemu człowiekowi. Na przykład jeszcze 150 lat temu trudno było zrozumieć, że człowieka mogą zabić niewidoczne żyjątka znajdujące się w brudzie. Dziś jednak nawet dziecko nie protestuje, kiedy trzeba umyć ręce przed jedzeniem, aby uniknąć zarazków, prawda? A czy Ty potrafisz wytłumaczyć babci, co robi Bozon Higgsa w Wielkim Zderzaczu Hadronów?

W każdym razie w XV wieku niektórzy twierdzili, że Ziemia jest kulą, ale jak wielką – trudno stwierdzić. Inni zaś pukali się w głowę i dowodzili, że to bzdura. Wiadomo było, że na południu leży ogromna Afryka, zwana wówczas Libią, na wschodzie –tajemnicza Azja, a na północy – jakieś niegościnne lodowe krainy. Aby dopłynąć do Azji trzeba udać się wzdłuż afrykańskich wybrzeży na południe, a potem zakręcić na wschód. Ale czy dałoby się dopłynąć do Indii, udając się na zachód? Wielu w to wierzyło. Mało tego, uważali, że będzie to droga o wiele krótsza niż wschodni szlak wokół Afryki!

### Czego nie wiedzieli XV i XVI-wieczni żeglarze?

- Nie wiedzieli, jak duża jest Ziemia. Rozmiary naszej planety zmniejszano na mapach niemal o połowę.
- Nie spodziewali się kontynentów amerykańskich.
- Po odkryciu Ameryk nadal wierzyli, że Ocean Spokojny nie jest duży, a Indie i Chiny ukażą się już po kilku dniach rejsu.
- Gdy już odkryli obie Ameryki, przez ponad sto lat nie wiedzieli, jak wyglądają ich pacyficzne wybrzeża, nawet nie zaznaczano ich na niektórych mapach!
- Po przepłynięciu Pacyfiku wierzyli, że gdzieś na dole mapy jest kontynent połu-dniowy zwany *Terra Australis*. Domyślali się – i słusznie – że chodzi o Antar-ktydę, ponieważ o właściwej Australii nie mieli pojęcia.

### Mapy za burtą

Gdy portugalski odkrywca Ferdynand Magellan wpłynął jako pierwszy Euro-pejczyk na wody Oceanu Spokojnego, wydawało mu się, że za kilka dni zo-baczy brzegi Indii. A zaraz potem po-każą się na horyzoncie wyspy Moluki, gdzie rosły cenne goździki i inne przyprawy... Tymczasem dwa miesiące później nie tylko nie było Indii, ale w ogóle żadnego lądu! Wściekły Magellan wyrzucił mapy za burtę, krzycząc: „Z całym szacunkiem dla kartografów, ale tych wysp nie ma w miejscu, gdzie je wyznaczyli!".

### Ach, te wymiary...!

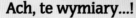

Obwód równika wynosi dokładnie 40 075 kilometrów. Nie do wiary, ale już 2300 lat temu grecki uczony Eratostenes na podstawie kąta padania promieni słonecznych oraz dzięki znajomości geometrii wyliczył niemal idealnie ten wynik! Niestety, jego odkrycie zostało zapomniane. Sto lat po nim za pomiary Ziemi wziął się astronom Ptolemeusz. Wyliczając wysokość świecenia gwiazd, okropnie się pomylił i ogłosił całkowicie błędny wynik: jego zdaniem obwód równika wynosił tylko 30 000 kilometrów. Na nieszczęście dla żeglarzy, to wyliczenia Ptolemeusza przetrwały w naukowych księgach i na ich podstawie rysowano mapy świata. Dlatego Kolumbowi zdawało się, że rejs na zachód do Indii okaże się miłym morskim spacerkiem. Zaś Magellan ze zdziwieniem odkrywał co dnia, że Pacyfik zdaje się nie mieć końca!

## Mapa to nie wszystko...

Powodzenie oceanicznej wyprawy zależało od dwóch czynników: wiatrów i prądów morskich. Jeśli były pomyślne, podróż upływała względnie spokojnie. Jeśli jednak siły natury sprzeciwiały się zamiarom żeglarzy, wyprawa kończyła się fatalnie. Dlatego każdy kapitan wyprawy musiał wiedzieć jak najwięcej o wiatrach i prądach morskich, jeśli chciał wrócić do domu żywy.

Pilnie notowano i oznaczano na mapach siłę i kierunki wiatrów wiejących powyżej i poniżej równika, przy brzegach Afryki i na pełnym morzu. Podobnie, choć trudniej, można było ustalić, którędy przebiegają trasy prądów morskich – wielkich podwodnych rzek przesuwających się z prędkością około 4 kilometrów na godzinę. Płynięcie z prądem bardzo ułatwiało żeglowanie. Rejs w odwrotnym kierunku nie był możliwy. Nawet przy silnym wietrze statek praktycznie nie poruszał się do przodu.

OCEANVS INDICVS MERIDIONAL

## Tajemnicze plany

Mapy świata w XV i XVI wieku były bardzo niedokładne, a położenie geograficzne i kształty niektórych kontynentów okazywały się wytworem fantazji rysowników. Jednak nie zawsze tak było. Do dziś jedną z najbardziej tajemniczych pamiątek z przeszłości jest słynna mapa tureckiego admirała Piri Reisa. Admirał wykonał ją około 1513 roku, kiedy to do Ameryki Południowej dotarły już dwie wyprawy. Ale odkrywcom udało się wówczas ledwie poznać Wyspy Karaibskie oraz fragmenty atlantyckich wybrzeży nowego kontynentu. Nie wiedzieli, jak wygląda on po drugiej stronie, nie wiedzieli, że za nim jest Pacyfik, że można tam popłynąć, okrążając południowy cypel Ameryki ani że wokół bieguna południowego rozciąga się wielka ziemia... Tymczasem na mapie Piri Reisa to wszystko jest, w dodatku wyrysowane dość dokładnie. I teraz najlepsze: na mapie są zaznaczone Grenlandia i Antarktyda z odwzorowaniem linii brzegowej jeszcze nie pokrytej kilometrową czapą lodu. Piri Reis podobno narysował swą mapę na podstawie jeszcze starszych wizerunków Ziemi odkrytych w bibliotece tureckiego sułtana. Ktokolwiek je sporządzał, musiał czynić to mniej więcej sześć tysięcy lat temu. Ciekawe, dla jakich żeglarzy była przeznaczona...?

## Top secret!

Królestwa zainteresowane odkrywaniem nowych ziem pilnie strzegły map, na których oznaczano nowe lądy, morza i zatoki. Za zdradę tak cennych informacji groziły okrutne kary. W razie ataku wroga kapitan statku miał rozkaz zniszczenia map, by nie wpadły w niepowołane ręce. Ale wykorzystywano je też do zmylenia konkurencji. Dlatego królowie Hiszpanii i Portugalii, którzy rywalizowali o zamorskie zdobycze, czasami rozkazywali rysować atlasy świata pełne błędów i potajemnie je publikować, w nadziei, że żądni skarbów konkurenci zabłądzą i utoną.

## Karawela

Karawele miewały po dwa lub trzy maszty. Stosowano na nich ożaglowanie rejowe – czyli prostokątne żagle rozpięte na rejach umocowanych poprzecznie do masztu albo wielkie trójkątne żagle zwane łacińskimi. Dzięki temu statek z wiatrem płynął szybko, ale też można było pływać ukośnymi kursami pod wiatr. Karawela znakomicie nadawała się do dalekich morskich wypraw. O wygodach w podróży można było jednak zapomnieć. Pod pokładem magazynowano zapasy, towary na wymianę i łupy. Kapitan i oficerowie mieszkali w kabinach na rufie, załoga – w ciasnych pomieszczeniach na dziobie, umieszczonych pod pokładem. Karawela zazwyczaj liczyła około 13-30 metrów długości i około 4-8 szerokości. Załoga składa się z około 25–30 osób.

## Co to jest dzielność morska?

Budowniczowie jednostek pływających znają termin: „dzielność morska". Oznacza on szereg dobrych cech, jakimi powinien odznaczać się statek. Zalicza się do nich: odporność na wywrócenie i kołysanie, stabilne utrzymywanie kursu, solidność kadłuba i masztów oraz takie ukształtowanie kadłuba, by fale nie zalewały pokładu. Oczywiście nie ma idealnych statków i każdy jest pod pewnymi względami lepszy, a pod innymi gorszy. Karawele uchodziły przez dwa wieki za jedne z najdzielniejszych i najbardziej udanych statków. Od czasu, gdy pojawiły się na oceanach, wielki wyścig do nieznanych lądów mógł się na dobre rozpocząć.

# Tylko nie Przylądek Nie...!

Na samym końcu Europy, mężnie stawiając czoła wzburzonym falom Atlantyku, leży niewielki słoneczny kraj – Portugalia. Jest trzy razy mniejsza od Polski i mieszka w niej trzy razy mniej ludzi. Uwaga, niech Cię to nie zmyli! Oto najpotężniejsze imperium morskie XV i XVI wieku! Nie myśl, że wówczas zajmowała więcej miejsca na mapie Europy. O nie, jej granice niewiele się zmieniły od tamtych lat. Ale na mapie świata... ho, ho, była prawdziwym imperium!

## Portugalczycy rządzą na morzach

Oto dowód, że nie trzeba milionowych armii, by stać się potęgą! Wystarczy know-how – czyli wiedza, technologie i umiejętność ich użycia!

Portugalia, licząca wtedy zaledwie 1,5 miliona ludności, przejęła od Arabów wiedzę geograficzną i astronomiczną. Dlatego tu zaczęły powstawać najdokładniejsze (wówczas) mapy świata. Rozwinęła się też produkcja przyrządów pozwalających na ustalanie położenia statku według pozycji gwiazd lub słońca na niebie. Wreszcie, Portugalczycy zaprojektowali najlepsze w tamtych czasach żaglowce: karaki o pojemnych i pękatych kadłubach oraz szybkie i dzielne karawele, którymi dało się żeglować pod wiatr (jak wyglądały, zobaczysz na następnej stronie).

Pomnik Henryka Żeglarza

## Henryk Żeglarz i jego ludzie

W roku 1415 Portugalczycy zdobywają marokańską twierdzę Ceutę. Od tego momentu coraz śmielej poczynają sobie na kontynencie afrykańskim. Wśród zdobywców spotykamy syna króla Portugalii – Henryka zwanego Żeglarzem. W ciągu kilkudziesięciu lat ambitny książę zdobędzie sporo łupów oraz kilka wysp na Atlantyku. Henryk Żeglarz wkrótce rozbuduje flotę, zatrudni odważnych kapitanów, wyśle ich w dalekie rejsy. Założy na afrykańskim wybrzeżu porty i stacje handlowe. Tak oto Portugalia zaczyna zarabiać poważne kwoty na morskim handlu. Henryk zakłada w zamku Sagres, położonym na wysuniętym na południe przylądku Ponta de Sagres, wielkie centrum zamorskich wypraw.

Twierdza w Sagres

Działa tu wytwórnia map, szkoła nawigatorów, obserwatorium astronomiczne i biblioteka kolekcjonująca wszelkie zapisy o ziemiach i morzach nowego świata. To wszystko naprawdę się przyda. W 1453 roku Turcy zdobywają Konstantynopol i dosłownie odcinają Europę od Azji. Teraz już żadna wymiana handlowa nie może odbywać się bez ich nadzoru i pośrednictwa! Ale Portugalczycy są przygotowani do odkrywania innych dróg handlu. W 1487 roku poszukiwacz przygód, żołnierz i człowiek, który najwyraźniej nie zna strachu, dostaje zadanie od króla Portugalii Jana II: ma popłynąć wzdłuż Afryki tak daleko aż – być może – znajdzie drogę do Indii. Ten człowiek nazywa się Bartolomeu Dias. Ma 37 lat i nie boi się niczego.

## Dias przeciera szlak

Bartolomeu Dias, prowadząc trzy statki, popłynął na południe dalej niż ktokolwiek w jego czasach. Niebawem rozpętał się straszliwy sztorm. Jego flotylla została zniesiona przez wichry daleko na środek Atlantyku. Gdy burza ucichła, żeglarze byli przerażeni, że oto dotrą niebawem na krawędź świata i wypadną wraz z oceanicznym wodospadem w kosmos. Dias zawrócił na południowy wschód, nie mając pojęcia, że już dawno wichry rzuciły go poza afrykańskie wybrzeża. Po kilku dniach zmienił kurs na północ. Dzięki temu w 1488 roku trafił na południowy cypel Afryki, nazwany przez niego Przylądkiem Burz, a potem przemianowany na Przylądek Dobrej Nadziei. Gdyby nie zmiana kursu, portugalski zdobywca zostałby pierwszym Europejczykiem, który odwiedził Antarktydę…

Dias dopłynął ostatecznie do Oceanu Indyjskiego, okrążając Afrykę i badając jej wschodnie wybrzeża. Ale na podróż do Indii nie starczyło mu już ani sił ani zapasów. Mimo to jego raport uradował portugalskiego króla. Władca zrozumiał, że droga morska do Indii stoi przed jego ludźmi otworem!

Przylądek Dobrej Nadziei

### Tylko nie Przylądek Nie...!

Aby opłynąć Afrykę, trzeba wyruszyć wokół jej zachodnich wybrzeży. Im dalej ku równikowi, tym robi się goręcej. Wreszcie, gdy upał był już nie do wytrzymania, żeglarze dopływali do Przylądka Bojador, zwanego też Przylądkiem Nie. Dlaczego? Wierzono, że wyznacza on koniec wód, po których można żeglować bez narażania się na śmierć. Dalej – szeptali zabobonni żeglarze – rozciąga się morze mroków, ocean wrze od żaru z nieba, wszyscy giną ugotowani w słonej wodzie… Innymi słowy, gdy kapitan chciał płynąć dalej, załoga wołała gromko: „Nie!" i domagała się powrotu, bez względu na kary grożące za nieposłuszeństwo. Siedemnaście kolejnych wypraw zawróciło przed przeklętym przylądkiem, ku wściekłości królów Portugalii. Wreszcie pewien śmiałek w 1434 roku zapuścił się na nieznane wody i wrócił, donosząc, że nic strasznego tam nie ma. Droga na południe stanęła otworem!

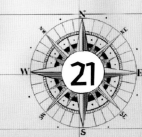

# Gdy zgubisz się na morzu...

## Nawigacja i żeglowanie

Załoga sama donikąd nie dopłynie. Nauczono ich pracy na statku – stawiania żagli, obsługi lin, kabestanów i pomp. Są jednak dwa zagadnienia, które trzeba powierzyć fachowcom, wykształconym w morskich akademiach lub... w latach długich i niebezpiecznych rejsów. To sztuka nawigacji i sztuka żeglowania.

Nawigator jest najważniejszą osobą na pokładzie. Jego zadanie polega na wyznaczeniu trasy i czuwaniu, by statek nie zboczył z kursu przez tysiące mil oceanu. Pilnuje, by bez względu na sztormy i przeciwne wiatry, udało się odnaleźć właściwy kierunek. Musi znakomicie czytać mapy i posługiwać się astronomicznymi i nawigacyjnymi przyrządami.

Z kolei za bezpieczne i skuteczne żeglowanie odpowiada kapitan, jego oficerowie i sternik. Ich wiedza i doświadczenie pozwalają tak kierować statek do wiatru i tak ustawiać żagle, by nie tylko płynąć w wybranym kierunku, ale kontrolować prędkość i przechyły żaglowca. Tylko doświadczony kapitan i sternik potrafią ocalić żaglowiec podczas sztormów i niebezpiecznych przejść pomiędzy wyspami i skałami.

## Maszty i żagle

**Bukszpryt** – to dodatkowy maszt, wychylony ukośnie ponad dziobem, z przodu żaglowca. Umożliwiał rozpięcie dodatkowego żagla zwanego blindą lub lataczem. Blinda łapała wiatr, wisząc przed dziobem karaweli, co sprawiało, że statek wydawał się dłuższy i stabilniej utrzymywał kurs.
**Fokmaszt** – to przedni maszt. Przymocowane są do niego dwie reje, czyli solidne drewniane poprzeczki, niewiele krótsze od samego masztu. Rozpinano na nich dwa żagle w kształcie trapezu. Dolny – fok i górny – zwany top fokiem lub fokmarselem.
**Grotmaszt** (najwyższy i najgrubszy) dźwiga jeszcze większe reje i największe żagle: grot i grotmarsel.
**Bezanmaszt** – tu mamy tylko jedną poprzeczkę, w dodatku dłuższą od masztu i ukośną. To rejka. A na niej wielki, trójkątny żagiel łaciński. Pozwala on najszybciej złapać wiatr, nabrać prędkości i ustawić statek w najdogodniejszej pozycji do zmiany kursu.

## Skomplikowane prowadzenie

Sternik dba o właściwy kierunek statku, ale nie tylko od niego on zależy. Żaglami steruje się przy pomocy lin, które można napinać lub poluzować albo przekręcić reję z żaglem w prawo lub w lewo – dookoła masztu. Od tego ustawienia zależy, czy statek będzie płynąć „bardziej w lewo" lub „bardziej w prawo". Można zmniejszyć ich powierzchnię, częściowo zwijając je pod reją – to „refowanie żagla" lub – jeśli wiatr jest zbyt silny – zwinąć niektóre z nich całkowicie.

## Średniowieczne GPS, czyli: gdzie jesteśmy?

Żaden nawigator dalekomorskiej wyprawy nie wyobrażał sobie rejsu bez przyrządów nawigacyjnych. Tylko dzięki nim miał szansę nie zgubić się na bezkresach oceanów. Przyrządy są niemal niezawodne. Doskonalili je od wieków astronomowie, którzy są znani z cierpliwości i dokładności, i którzy sami dokonują odkryć dotyczących budowy wszechświata.

### Klepsydra

Zegary mechaniczne pojawią się na statkach dopiero za 200 lat. Na razie najprostszym sposobem mierzenia czasu jest regularne przestawianie klepsydry. To zadanie chłopców okrętowych. Zagapienie się i nie odwrócenie klepsydry jest surowo karane, na ogół przy pomocy bata.

### Log

Prosty przyrząd do określania prędkości statku. Na lince obciążonej drewnianym pływakiem zaznaczano odległości przy pomocy węzłów i wypuszczano ją za burtę. Teraz pozostawało tylko policzyć, jak szybko wzdłuż burty przesuwają się węzły i przeliczyć odległości pomiędzy nimi na mile morskie.

### Laska Jakuba

Prosty przyrząd składający się z trzech listewek zamocowanych na czwartej. Przypomina drabinkę do podtrzymania rośliny doniczkowej. W samo południe trzeba było wycelować laskę w słońce i przesuwać poprzeczkę tak, by dolnym końcem „dotknęła" linii horyzontu. Wynik na skali pokazuje odległość od równika, czyli szerokość geograficzną, na jakiej znajduje się statek.

### Astrolabium

Na drewnianym lub metalowym kole zaznaczono podziałkę wyskalowaną w stopniach – tak jak w kątomierzu. Na środku koła przymocowano wskazówkę z celownikami, tarczkami i dziurkami do prowadzenia obserwacji. W samo południe lub o północy przyrząd zawieszano za małe kółeczko na sznurze i tak kierowano strzałką, żeby dało się dostrzec Gwiazdę Polarną (lub Słońce) przez obie dziurki obserwacyjne. Gdy się to udało, strzałka wskazywała wysokość Słońca lub Gwiazdy Polarnej nad horyzontem, a przy okazji – szerokość geograficzną, na jakiej statek aktualnie się znajdował.

### Kompas

Namagnesowana igła zamknięta w pudełku i swobodnie obracająca się na cienkim druciku – ten wynalazek żeglarze z Europy poznali około 1300 roku. Igła wskazywała północ, zaś narysowana na pudełku róża wiatrów pomagała wybrać kierunek żeglugi.

# Strzelanina na oceanie. Vasco da Gama dociera do Indii

Jest rok 1497. Portugalski król Jan II zebrał wszystkie informacje, których potrzebował. Bartolomeu Dias sprawdził dla niego morską drogę z Europy na wschodnie wybrzeża Afryki. Tajny agent Pedro de Covilhao sprawdził, że Arabowie i Hindusi prowadzą morski handel, podróżując z Indii i Morza Czerwonego do okolic, gdzie dopłynął Dias. To oznaczało, że podróż morska do Indii jest możliwa. Trzeba było wysłać kogoś, kto nie tylko dotrze do celu, ale jeszcze porządnie tupnie tam nogą w imieniu króla Portugalii. Tym kimś okazał się Vasco da Gama. Znakomity żeglarz i brutalny wojownik. Czyli właściwy człowiek na właściwym miejscu…

## Twarda ręka pana da Gamy

W lipcu 1497 roku Vasco da Gama wyruszył na wyprawę życia, dowodząc 170 ludźmi na pokładach czterech okrętów. Zmagał się ze sztormami, chorobami, awariami i nawet buntem załogi. Po wielu miesiącach dopłynął do afrykańskich portów, w których prowadzili handel Arabowie. Pojawienie się okrętów z chrześcijańskiej Europy nie spodobało się arabskim kupcom, którzy przeczuwali, że oto ktoś chce im popsuć handlowe układy ze światem. Przybyszom odmawiano wody i pożywienia, a w Mozambiku nawet próbowano wymordować żeglarzy. Wtedy da Gama rozkazał ostrzelać miasto z okrętowych dział. To wystarczyło, by miejscowi, przerażeni potęgą europejskiego uzbrojenia, przestali robić kłopoty. Butny Portugalczyk stosował ten chwyt jeszcze kilka razy, aż do samych Indii – gdy tylko jakiś port nie chciał mu się podporządkować, natychmiast rozkazywał go ostrzelać.

Pamiątkowy znaczek pocztowy z okrętami Vasco da Gamy

Do Indii wyprawa dopłynęła po 10 miesiącach rejsu, z połową marynarzy – reszta zmarła od chorób lub zginęła w walce. Z ładowniami pełnymi skarbów i cennych przypraw ruszyli w drogę powrotną. Po dwóch latach i dwóch miesiącach da Gama wrócił do Portugalii wraz z 55 ludźmi. Król nadał mu tytuł „Admirała Mórz Indyjskich".

## Karne ekspedycje

Portugalczycy wiedzieli, że bez założenia stałych baz w portach afrykańskich i indyjskich, szybko zostaną wyrzuceni z tamtego rejonu i będą mogli zapomnieć o handlu. Dlatego Vasco szybko został wysłany w kolejną podróż. W 1502 roku pojawił się na Oceanie Indyjskim na czele 20 okrętów i rozpętał tam prawdziwe piekło, topiąc flotę arabską i przechwytując ich statki handlowe. W ślad

za da Gamą zjawili się kolejni zdobywcy, wśród nich **korsarze**. Portugalczycy przewozili mnóstwo towarów, przez co kupcy arabscy i weneccy zarabiali coraz mniej na handlu z Europą. Arabowie, Turcy, Wenecjanie i Egipt, czyli wszyscy, którzy ponosili przez Portugalczyków straty, wystawili flotę i uderzyli na przybyszów. Po kilku krwawych bitwach morskich Portugalczycy wywalczyli panowanie na Oceanie Indyjskim. Przez następne 200 lat będą tam zakładać kolonie i czerpać ogromne zyski z handlu ze Wschodem. Tę część świata dostaną – można powiedzieć – na wyłączność.

## Co zabrać w podróż?

Załogę czekają długie miesiące rejsu. Dlatego trzeba zabrać zapasy żywności, broni, prochu strzelniczego, amunicji, ubrań, drewna, lin oraz płótna na naprawę żagli. Nie można zapomnieć o drewnie i węglu drzewnym na opał – jak inaczej gotować obiady? Ładownie wypełnią towary na sprzedaż i wymianę oraz beczki i skrzynie na przyprawy, po które płynie wyprawa. Jednak najwięcej trzeba zabrać jedzenia: tony sucharów, ziaren zbóż, kilkaset litrów oleju lub oliwy, kilkadziesiąt tysięcy litrów wody i tyle samo wina (nie psuło się tak szybko jak woda). Poza tym nawet dwie tony mięsa suszonego i solonego (i tak się psuło po kilkunastu tygodniach), mnóstwo cebuli, mąki, rzepy, czosnku, miodu i twardych, wędzonych serów. Ładowano także żywe kozy, kury, owce i świnie oraz pożywienie dla nich. Teraz trzeba odpowiedzieć na trzy ważne pytania:

Czy to się wszystko zmieści? – Musi.

Czy na statku będzie wygodnie? – Absolutnie nie.

Czy statek wypełniony psującym się jedzeniem, zwierzętami i ludźmi, którzy się nie myją będzie śmierdział? – Śmierdział? Będzie cuchnęło na milę!

## Skąd wziąć załogę?

Fachowców – sternika, żaglomistrza, cieślę, nawigatorów czy lekarza osobiście wybierał kapitan. Ale żaglowiec potrzebował załogi – silnych ludzi do obsługi lin, żagli, pomp, pracy przy ładunku, naprawianiu statku, wreszcie – do walki z piratami. Tych wybierał bosman, czyli szef załogi. Na statek chętnie zaciągali się biedacy (kusiła ich gwarancja zarobku i wyżywienia), awanturnicy (szukali sławy i przygód) a także przestępcy. W Hiszpanii i Portugalii ten, kto uciekł na statek, nie mógł zostać aresztowany, nawet jeśli popełnił morderstwo. Dlatego w nadmorskich miastach popełniano tak dużo przestępstw – w razie wpadki wystarczyło dobiec do portu i dostać się na jakikolwiek żaglowiec! Zabierano też więźniów. Dla skazańców rejs w nieznane był ciekawszym losem niż gnicie w wilgotnych lochach. No i zawsze pozostawała nadzieja, że uda się przeżyć podróż morską i odzyskać wolność…

**Korsarze** – piraci działający na zlecenie króla. Piraci byli to morscy rozbójnicy napadający na wszystkie kupieckie statki handlowe i kradnący cenny ładunek. Natomiast korsarze prowadzili swój przestępczy proceder w imieniu władcy jakiegoś państwa, wzmacniając w ten sposób jego siły morskie w wojnie z innymi krajami. Korsarze atakowali tylko statki wrogów swojego kraju, a zrabowanymi łupami musieli dzielić się z królem.

# To miały być Indie...
# Krzysztof Kolumb przeciera
# szlak do Ameryki

Krzysztof Kolumb (Sebastiano del Pionto)

### Czy warto płynąć do Indii w „dziwnym kierunku"?

Nadal trwa XV wiek. Ziemia być może jest okrągła, ale wciąż nie ma na to przekonujących dowodów. Na razie wszyscy żeglarze zastanawiają się, czy morska podróż do Indii wokół Afryki jest możliwa i ile może potrwać. Pomysł, że warto spróbować ruszyć przez bezkresne wody w drugą stronę, czyli na zachód, wydaje się, delikatnie mówiąc, niepoważny. Bo jeżeli Ziemia jednak okaże się płaska i gdzieś tam ocean przelewa się przez jej krawędź, prosto w kosmos... Brr... lepiej nawet o tym nie myśleć...

### Marzyciel z Genui

Pora przedstawić jednego z największych i najbardziej pechowych odkrywców w dziejach. Poznajcie Krzysztofa Kolumba. Urodzony we włoskiej Genui w 1451 roku, nie ukończył żadnego uniwersytetu ani szkoły morskiej, ale znał cztery języki i zdobył wielkie doświadczenie jako uczestnik wypraw handlowych po Morzu Śródziemnym, do Anglii i na Wyspy Kanaryjskie.

W roku 1474, po wielu rozmowach z geografami i astronomami, doszedł do wniosku, że Ziemia jest jednak kulą i że do Indii da się dopłynąć kierując się na zachód. Oczywiście wyliczył sobie wymiary Ziemi na podstawie błędnych danych Ptolemeusza. Świat miał się więc w przyszłości okazać dużo większy niż się to komukolwiek wydawało…

## Słynne, smutne wyprawy

Portugalczycy wyśmiali Kolumba. Królowie Hiszpanii mianowali go tymczasem dowódcą. Powierzyli mu trzy niewielkie statki: „Santa Maria", „Nina" i „Pinta". Z nieco ponad setką ludzi na pokładach, wyprawa wypłynęła z Hiszpanii w 1492 roku. W drodze przez Atlantyk Kolumb musiał opanować bunt marynarzy, przerażonych, że przez ponad miesiąc nie widzieli żadnego lądu. Dostrzegli go dopiero po dwóch miesiącach od opuszczenia Hiszpanii! Były to wyspy Bahama, a następnie Kuba i Haiti. Niestety, tubylcy nie mieli złota i nie rosły tam drogocenne przyprawy. Mimo to Kolumb powrócił do Hiszpanii jako zwycięzca.

W drugą podróż wysłano siedemnaście statków, pełnych szlachciców i kupców liczących na spore zyski. Niestety, nie tylko nie przywieziono skarbów, ale wielu podróżnych poległo z rąk Indian. Władcy Hiszpanii chcieli nawet zlikwidować kolonię, która zamiast przynosić zyski – kosztowała życie tylu ludzi. Pozwolili jednak Kolumbowi zorganizować trzeci rejs. Tym razem nie było chętnych na wyprawę, skompletowano więc załogi z więźniów. I znowu odkryto nowe wyspy, ale nie znaleziono skarbów. W tym samym czasie okazało się, że Vasco da Gama dopłynął do Indii wokół Afryki i powrócił żywy. Kolumb został okrzyknięty oszustem i uwięziony. Nikt nie wierzył, że dotarł do Indii. Odebrano mu wszystkie dobra zdobyte za oceanem. W czwartą podróż wyruszył z rozkazem znalezienia morskiej przeprawy przez ten nowy, dziwny kontynent, czyli odnalezienia wreszcie drogi do prawdziwych Indii. To się jednak nie udało, a wszystkie statki zatonęły. Po powrocie, srogo potraktowany przez króla i zmartwiony utratą majątku, tytułów i przywilejów, wielki odkrywca umarł w 1506 roku. W jego pogrzebie uczestniczyły jedynie cztery osoby.

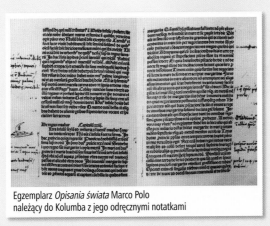

Egzemplarz *Opisania świata* Marco Polo należący do Kolumba z jego odręcznymi notatkami

---

### Cztery podróże Kolumba.

**I wyprawa** 1492-1493: dzisiejsze Wyspy Bahama, Kuba, Haiti.

**II wyprawa** 1493-1496: Gwadelupa, Dominikana, Jamajka.

**III wyprawa** 1498-1500: Trynidad, ujście rzeki Orinoko.

**IV wyprawa** 1502-1504: Martynika, wybrzeża Ameryki Środkowej (dzisiejsze: Honduras, Kostaryka, Nikaragua, Panama).

---

### O ile pomylił się Kolumb?

Kolumb pomylił się w obliczeniach. Źle przeliczył długość jednego stopnia geograficznego i błędnie oszacował długość kontynentu azjatyckiego. Geograf Toscanelli przekonywał go, że z Lizbony do Japonii jest nie więcej niż 5 tysięcy mil (naprawdę – 11 tysięcy!), ale Kolumb porachował to po swojemu i wyszło mu, że to tylko 2400 mil. Jednym słowem – pomniejszył Ziemię aż czterokrotnie.

---

### Dzielna mała „Nina"

Największa i najwolniejsza „Santa Maria" zatonęła już podczas pierwszej podróży Kolumba. Najszybsza „Pinta" poszła na dno podczas drugiej wyprawy. Najmniejsza „Nina" dzielnie zniosła dalekie rejsy, huragany i sztormy. Przetrwała nawet porwanie przez piratów na Morzu Śródziemnym. Na szczęście kapitan z kilkoma oficerami zdołali odnaleźć bazę zbójców i odbić swój statek. Dzielny mały żaglowiec wziął udział także w drugiej i trzeciej wyprawie Kolumba i pływał po Karaibach co najmniej do 1501 roku. W trakcie rejsów przez Atlantyk przepłynął ponad 46 tysięcy kilometrów!

## Hiszpania i Portugalia dzielą świat

Oba państwa zawzięcie ze sobą rywalizowały w poszukiwaniu nowych zdobyczy. Ponieważ hiszpańskie i portugalskie ekspedycje żeglowały po świecie i agresywnie zwalczały się nawzajem, postanowiono… podzielić świat na pół i ustalić kto i gdzie ma prawo dokonywać odkryć. Naprawdę, dwa niewielkie państwa potraktowały ziemski glob jak tort i w 1494 roku w miejscowości Tordesillas podpisały umowę, kto weźmie którą połówkę! Mało tego, świat podzielono, zanim go szczegółowo odkryto i zbadano! Linia graniczna biegła pośrodku Atlantyku z północy na południe, z tym że Portugalczycy wymusili jej przesunięcie o 200 mil na zachód. I proszę, co za zbieg okoliczności, niebawem okazało się, że w ich strefie „znalazła się" Brazylia, o której istnieniu oficjalnie nikt jeszcze nie wiedział. Prawdopodobnie Portugalczycy potajemnie do niej dopłynęli, ale odkryciem nie pochwalili się nikomu. I tak Hiszpanie „zabrali" wszystko na zachód od tej linii, a Portugalczycy – to co na wschodzie. Najzabawniejsze jest to, że nikt nie miał pojęcia, gdzie miałaby przebiegać ta linia na drugiej półkuli. Zwłaszcza, że wciąż niewielu wierzyło, że w ogóle jest jakaś druga półkula… To się nazywa optymistyczne dzielenie skóry na niedźwiedziu…

## Wielka wymiana handlowa:
## co Kolumb przywiózł do Europy, co poznali dzięki niemu Indianie?

W wyniku podróży Kolumba, mieszkańcy Nowego Świata, dotychczas nieświadomi, że istnieje jakiś „stary świat", przeżyli głęboki szok. Odwiedzili ich przedstawiciele cywilizacji, która nosiła nieznane Indianom brody, miała konie i strzelby, szybko zniszczyła ich ojczyzny i zaczęła się w nich okrutnie szarogęsić. Przy okazji dokonała się gigantyczna wymiana towarów, technologii, informacji, wynalazków, a nawet… roślin i zwierząt.

### „Nowości" z Europy dla Indian

Konie, kury, świnie, osły, proch i broń palna, żelazo, szkło, aksamit, statki żaglowe, dzwony, buty, wino, cukier, pszenica, Afrykańczycy, brodaci ludzie, wiara chrześcijańska, kara śmierci przez powieszenie (niestety!), litery i pismo.

### „Nowości" z Ameryki dla Europejczyków

Hamaki (zaskakujące, co? w Europie aż do XV wieku nikt na to nie wpadł!), nieznane choroby, kartofle, cukier, tytoń, kukurydza, kakao, czekolada, papugi (moda na papugi dotarła do Europy wraz z pierwszymi ptakami tego gatunku przywiezionymi przez Kolumba).

AMERIGO VESPUCCI

## Geograf, który ukradł Kolumbowi nazwę

Pech nie opuszczał Kolumba nawet po śmierci. Czy zastanawiałeś się, czemu nowego kontynentu nie nazwano jego imieniem lub nazwiskiem? Słynny odkrywca patronuje przecież jedynie niewielkiemu państwu – Kolumbii. Kto w takim razie odkrył Amerykę? Zgadza się, Kolumb. Tyle tylko, że... w powszechnej opinii XVI-wiecznej Europy odkrył ją ktoś, kogo dziś nazwalibyśmy korespondentem albo reporterem. Kolumb słał do króla z nowych ziem listy pełne narzekań i trwogi, dzielił się zmartwieniami i wątpliwościami. W tym czasie inny żeglarz tworzył pełne zachwytu opowiadania o nowych ziemiach. Przedstawiamy kolejnego bohatera: oto Amerigo Vespucci – urodzony we Florencji świetnie wykształcony kartograf i bankowiec, uczestnik wielu wypraw za ocean. W latach 1497 – 1504 Amerigo wziął udział w co najmniej kilku wyprawach. Przywoził z nich wspaniałe opisy nowych krain, prawdziwe reportaże, obrazy cudownych, niemal bajecznych krain, pisane żywym, barwnym, pełnym zachwytu językiem. Niemal natychmiast były drukowane i rozpowszechniane w całej Europie i przyćmiły wszystkie inne relacje, z Kolumbowymi na czele. Przede wszystkim zaś, Amerigo opisywał owe krainy jako zupełnie Nowy Świat i taką nadał im nazwę, wiedząc już, że absolutnie to nie są Indie. Efekt? Już w rok po śmierci Kolumba, niemieccy wydawcy zaproponowali, by nowy kontynent na zachodzie nazwać Amerigą lub Americą, na cześć tego, kto w Europie uchodził za jego odkrywcę i jako pierwszy potwierdził, że to osobny kontynent. I tak też się stało. Bez względu na to, czy jako pierwsi dotarli do Ameryki wikingowie czy Krzysztof Kolumb, na zawsze pozostała Ameryką.

### Poczet odkrywców z epoki Kolumba.

- **Vincente Yanez Pinzon**: odkrył rzekę Amazonkę i rosnące wokół niej puszcze.
- **Rodrigo de Bastidas**: odkrył wybrzeże Kolumbii.
- **Hernan Cortez**: zdobył Meksyk.
- **Vasco Nunez de Balboa**: odkrył Ocean Spokojny.
- **Ponce de Leon**: odkrył wybrzeże Florydy.

### A co jest za tymi górami?

Vasco de Balboa, jadąc konno, odkrył Pacyfik. Nie do uwierzenia? A jednak. Ten awanturnik, poszukiwacz przygód i przebiegły żołnierz toczył pewnego dnia zaciekły spór z innymi Hiszpanami. Kłócili się o podział zdobytego złota. Pewien Indianin, nie mogąc zrozumieć, czemu biali dziwacy o mało nie pozabijają się o coś, co z jego punktu widzenia jest raczej bezwartościowe, powiedział: „Po co się bijecie o coś, czego każdy może mieć, ile chce. Po drugiej stronie gór jest kraina, gdzie tego jest pod dostatkiem, jest tam inne morze i bogate kraje...".

Miesiąc później, przebywszy góry i dżunglę na czele 67 ludzi, Vasco de Balboa odkrywa Ocean Spokojny, a także „drugą stronę" Ameryki Południowej.

Pojawił się tylko jeden problem. Nie wiadomo było, czy da się na ten ocean wpłynąć statkiem. Ale tego dokona następny zawadiaka, Ferdynand Magellan...

# Dookoła świata? Kto tego dokona?

### Historia lubi się powtarzać...

Znasz przysłowie: „Mądry Polak po szkodzie"? Niestety, portugalscy królowie nie chcieli być mądrzy ani przed szkodą, ani po niej. Niezwykle rzadko zdarza się, by zdarzenia potoczyły się identycznie, w dodatku w krótkim odstępie czasu… Jak wiesz, w 1485 roku król Portugalii Jan II wyśmiał Kolumba, kiedy ten proponował dotarcie do Indii drogą zachodnią. Później tego żałował, widząc jak Hiszpanie zdobywają kolejne ziemie za oceanem. Trzydzieści lat później kolejny portugalski władca, Manuel, nie odrobił lekcji z historii. Kazał się wynosić Ferdynandowi Magellanowi, mówiąc, że jeśli mu się nie podoba służba na portugalskim dworze, niechże poszuka innego miejsca… No więc Ferdynand poszukał.

### Niewdzięczność króla

Urodzony w 1480 roku, zarozumiały, zadziorny, niski i chudy Magellan pilnie uczył się geografii i astronomii, studiował nawigację i brał udział w licznych wyprawach handlowych i wojennych.

Już jako 20-latek pływał do Indii wzdłuż Afryki na pokładach karawel. Dziesięć lat później sam dowodził statkami. Lata spędzone na morzu uczyniły zeń świetnego żeglarza i odważnego żołnierza. Mimo to, kiedy przedstawił śmiały plan opłynięcia zachodnich kontynentów i pożeglowania tamtędy do Indii, kazano mu się wynosić. Dlatego udał się do Hiszpanii. Tam cierpliwie tłumaczył swój plan rejsu na zachód i król mu uwierzył. A potem mianował dowódcą eskadry okrętów, które Magellan miał, jako pierwszy człowiek, poprowadzić dookoła świata.

### Co na to Portugalczycy? Uznali go za zdrajcę i chcieli aresztować.

Co na to Hiszpanie? Nie ufali mu całkowicie, ponieważ był Portugalczykiem i obawiali się, że może zdradzić swą nową ojczyznę. Tak czy siak – Ferdynand nie czuł się bezpiecznie i mógł polegać tylko na najbliższych osobach.

## Czarna eskadra

20 września 1519 roku z Hiszpanii wypływa czarna eskadra. Flagowym okrętem (czyli tym, z którego dowodzi admirał) jest „Trinidad". Za nim, wyładowane zapasami, towarami na handel, bronią i amunicją, rozcinają fale: „San Antonio", „Concepcion", „Victoria" i „Santiago". Są czarne, ponieważ smoła pokrywa szczelnie ich kadłuby, maszty, liny, takielunek – wszystko prócz żagli. To najlepszy znany wówczas sposób uszczelnienia statków i zabezpieczenia przed morską wodą. Czarne statki płynące pod żaglami, na których naszyto znaki krzyża, wyglądają posępnie. Nie są nowe, nie zbudowano ich specjalnie na tę wyprawę, ale kupiono i wyremontowano z nadzieją, że zniosą trudy dalekiego rejsu. W archiwach zachowały się rachunki – zakup, remont i wyposażenie oraz pensje załogi wyniosły 8 751 125 maravedi, czyli ok. 1 100 000 współczesnych dolarów amerykańskich.

## Czemu Magellan chciał płynąć na zachód?

Przypomnij sobie traktat, w którym Hiszpania z Portugalią podzieliły się światem, jak tortem. Wszystko, co rozciągało się na lewo od linii biegnącej przez Brazylię miało należeć do Hiszpanii. Dlatego jej władcy zdecydowali się poprzeć szalony plan Magellana poszukania zachodniego przejścia morskiego do Indii. Poza tym chyba nie mieli innych śmiałków, gotowych porwać się na potęgę oceanów bez gwarancji powrotu...

Dzielnego żaglowca, który jako jedyny z flotylli i pierwszy na świecie opłynął kulę ziemską, nie zachowano na pamiątkę. Wyremontowano go i sprzedano. Przez następne 50 lat „Victoria" kursowała pomiędzy Hiszpanią a Ameryką, aż w kolejnym rejsie zaginęła bez wieści.

„Victoria" była jednym z dwóch najmniejszych statków Magellana. Szeroka na 9 metrów, liczyła 40 metrów długości i tyle samo wysokości – od stępki po czubek najwyższego masztu. Mogła zabrać 800 ton ładunku i zmieścić 42-osobową załogę.

# Mapa świata

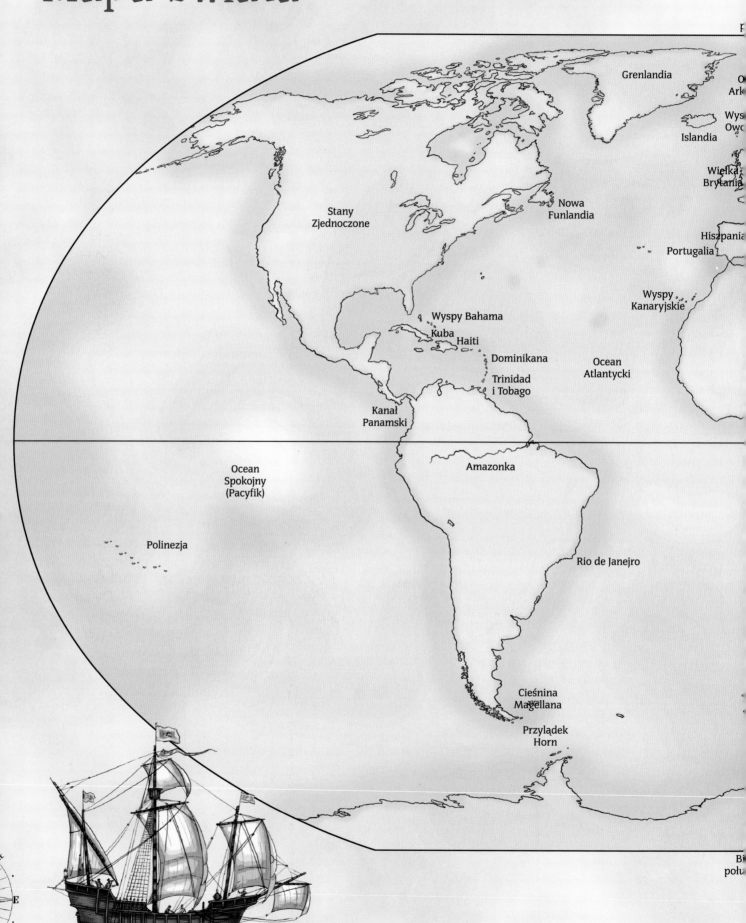

Grenlandia

O...
Ark...

Wys...
Owc...

Islandia

Wielka
Brytania

Stany
Zjednoczone

Nowa
Funlandia

Hiszpania
Portugalia

Wyspy
Kanaryjskie

Wyspy Bahama
Kuba
Haiti
Dominikana

Ocean
Atlantycki

Trinidad
i Tobago

Kanał
Panamski

Ocean
Spokojny
(Pacyfik)

Amazonka

Polinezja

Rio de Janejro

Cieśnina
Magellana

Przylądek
Horn

B...
połu...

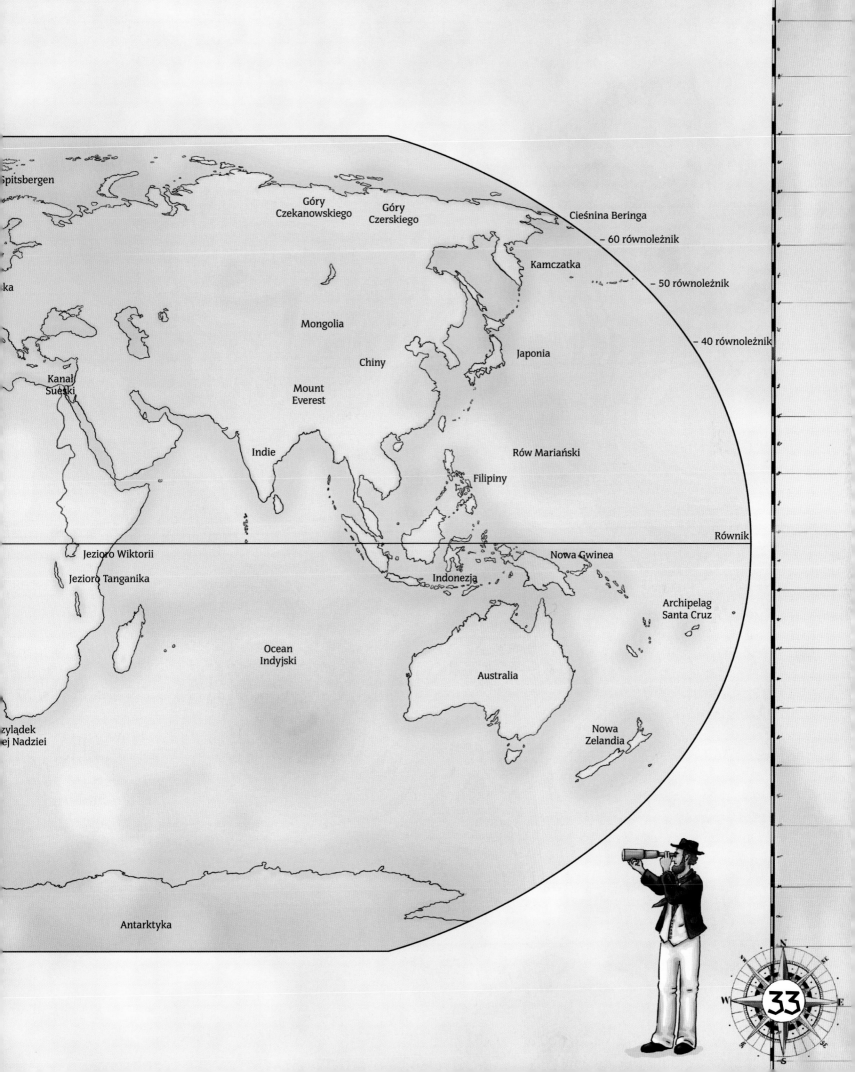

Spitsbergen

Góry
Czekanowskiego

Góry
Czerskiego

Cieśnina Beringa

– 60 równoleżnik

Kamczatka

– 50 równoleżnik

Mongolia

– 40 równoleżnik

Chiny

Japonia

Kanał
Sueski

Mount
Everest

Indie

Rów Mariański

Filipiny

Równik

Jezioro Wiktorii

Nowa Gwinea

Jezioro Tanganika

Indonezja

Archipelag
Santa Cruz

Ocean
Indyjski

Australia

zylądek
ej Nadziei

Nowa
Zelandia

Antarktyka

W

33

E

# Piekło dalekiego rejsu

Pięć statków, 265 ludzi, żadnych sensownych map, nawigacja prowadzona według gwiazd, które na półkuli południowej są inne niż na północnej. Marzenie o bogactwach Wysp Korzennych zatruwa jednak brak pewności, czy to wszystko w ogóle się powiedzie. Załogi składają się z Portugalczyków, Hiszpanów, Włochów, Anglików, Francuzów i Holendrów. Dowodzi Portugalczyk, który służy hiszpańskiemu królowi, ale któremu Hiszpanie nie ufają. Niezły początek podróży w nieznane i być może bez powrotu! A to nie koniec niebezpieczeństw. Po dwóch miesiącach rejsu zaczynają umierać pierwsze ofiary największego zabójcy żeglarzy: szkorbutu.

Pacyfik (Ocean Spokojny) na mapie z 1589 roku

## Skąd brać siły na morzu?

Cztery piąte zapasów, jakie zabrał Magellan, stanowiło wino, lepiej od wody znoszące wielomiesięczny transport i suchary, które miały długi termin przydatności do spożycia. A raczej – powinny mieć. Niestety, podczas rejsu wilgoć robiła swoje – suchary pleśniały, gniły, ponadto szczury podjadały je i zanieczyszczały moczem. Ohydne resztki próbowano gotować na papkę, jednak nie chcieli jej jeść nawet głodujący – była tak obrzydliwa!

Psuło się solone i suszone mięso, suszone ryby, a także mąka i ziarno, z których wypiekano na statkach cienkie placki. Sam Magellan, niektórzy oficerowie i kronikarz wyprawy zabrali ze sobą konfitury z jabłek i marmoladę z pigwy. Choć nie mieli o tym pojęcia, wielu z nich uratowało sobie w ten sposób życie, dysponowali bowiem solidnym zapasem witamin, których nie mieli zwykli marynarze. Kilka miesięcy jedzenia owsianki, sucharów, solonego mięsa i kaszy sprawiało, że organizmy załogi, pozbawione protein i witamin, zaczynały się psuć. A chory żeglarz – jak głosi stare przysłowie – to tylko pół żeglarza.

# Uwaga! Szkorbut!

Wrażliwi czytelnicy proszeni są o opuszczenie reszty tego rozdziału. Albowiem to, co przytrafiało się ludziom pozbawionym witamin, było przerażające. Szkorbut, inaczej gnilec, czyli po prostu brak witaminy C, zabił w historii więcej żeglarzy niż wszystkie bitwy morskie świata. Pierwszym objawem choroby były siniaki spowodowane pękaniem żył. Potem następowało osłabienie i bóle mięśni. Zaczynały puchnąć i ropieć dziąsła, na języku i policzkach pojawiały się bolesne wrzody. Zęby zaczynały chwiać się i wypadać, kolana, łokcie, kostki u nóg i przeguby dłoni puchły, a kości stawały się kruche jak u najsłabszego staruszka. Rany i skaleczenia nie chciały się goić, a bywało, że blizny po dawnych zranieniach otwierały się i krwawiły od nowa. Większość chorych umierała w męczarniach. Czy nie było dla nich ratunku? Był. Wystarczyłaby jedna łyżeczka soku z cytryny dziennie. Ale na to wpadnie inny odkrywca, niestety, dopiero 250 lat później. Czy ktoś jeszcze wątpi w słuszność jedzenia owoców i warzyw? Jeśli nie, to możemy płynąć dalej.

# Rejs tylko dla twardzieli

Rejs na pokładzie XVI-wiecznego żaglowca obfitował w ekstremalne przeżycia. Ciągłe kołysanie przyprawiało o chorobę morską, czyli bóle głowy i wymioty. Pod pokładem śmierdziało, ponieważ nie było gdzie się wykąpać, a mycie się w morskiej wodzie powodowało swędzenie skóry. Cuchnęły zęzy, czyli najniżej położone miejsca na statku, gdzie zbierały się nieczystości. Trzeba je było wypompowywać za burtę przy pomocy ręcznych pomp. Śmierdziało psujące się jedzenie i szczurzy mocz. Załodze dokuczały pchły, wszy i karaluchy.

Było też głośno. Rozkazy wydawano krzykiem, a przy obsłudze żagli i lin komend wywrzaskiwano co niemiara. Praca na pokładzie odbywała się w takt pieśni – w ten sposób udawało się zgrać tempo i siły wszystkich wykonujących daną czynność ludzi. Chłopcom okrętowym kazano głośno śpiewać religijne psalmy, w intencji pomyślnego zakończenia wyprawy. Na pokładzie nigdy nie było cicho, nawet nocą.

A jak tu się… hm, załatwić? Z siusianiem za burtę sprawa prosta, gorzej z poważniejszą potrzebą. Na poręczy okalającej pokład mocowano drewnianą obręcz, podobną do deski sedesowej. Trzeba było usiąść na niej i mocno trzymać się, jeśli akurat huśtało. Potem wytrzeć się kawałkiem nasmołowanej liny i wypłukać ją w morzu, by następny też mógł jej użyć. I oczywiście wszystko to na oczach reszty załogi – nikt nie dbał o takie drobiazgi jak intymność!

Teraz możemy zdradzić, jak hiszpańscy żeglarze nazywali swe śmierdzące, niespokojne i głośne statki: *pajaro puerto* – „latającą świnią".

## Krótkie życie marynarza

Śmiertelność wśród załóg była przerażająca. Piętnastoletni załogant miał niewielkie szanse dożyć „osiemnastki", a jeśli udało mu się przeżyć więcej niż pięć lat rejsów i nauczyć się wszystkiego, mógł zyskać patent zawodowego żeglarza. Kto przekroczył trzydziestkę, uznawany był za weterana. Magellan, wyruszając na wielką wyprawę, miał 39 lat i był najstarszym lub jednym z najstarszych członków załogi.

# Wyzwanie rzucone kuli ziemskiej

Pięć żaglowców i 265 ludzi wyruszyło w wielką podróż. Do Hiszpanii wróciły dwa. Najpierw „San Antonio", którego załoga zbuntowała się przeciw Magellanowi i uciekła z powrotem do ojczyzny. 55 buntowników porwało statek nim reszta flotylli sforsowała cieśninę prowadzącą na Ocean Spokojny. Jednak prawdziwą sensacją okazał się powrót „Victorii" i osiemnastu ocalałych żeglarzy, którzy jako pierwsi ludzie na świecie okrążyli kulę ziemską! I przywieźli… ale nie uprzedzajmy faktów!

Rycina Antonio Pigafelta z Filipin

## Niezrównany kronikarz

Magellan jako dowódca prowadził zapiski w dzienniku okrętowym i wykreślał pozycję eskadry na mapach. Jednak dokładny przebieg wyprawy znamy dzięki innemu poszukiwaczowi przygód. Poznajcie dzielnego Antonio Pigafettę, rodem z Wenecji, człowieka, który gdy tylko dowiedział się o wyprawie Magellana, czym prędzej zgłosił się do niego jako ochotnik. Dowódca kazał mu spisać porządną kronikę wyprawy. Pigafetta zgodził się z ochotą. Przeczuwał, że zapewni mu to nieśmiertelność jako pisarzowi i podróżnikowi. Nie mylił się. Pigafetta, uratowany przed szkorbutem dzięki słoikom pigwy, został jednym z największych kronikarzy swoich czasów.

## Kto dopadnie Magellana?

Pierwszy tydzień rejsu był morskim spacerkiem. Na Teneryfie można było uzupełnić zapasy wody i świeżego prowiantu. Potem Magellan popłynął wzdłuż Afryki, bowiem dostał sekretną wiadomość, że Portugalia wysłała flotę, by go pojmać i aresztować. Zmylił pościg, zniknął – dosłownie – w dwumiesięcznym sztormie i straszliwych deszczach, które przemoczyły statki mimo pokrycia ich smołą. Załogi żaglowców walczyły o życie, a wokół statków bezustannie krążyły rekiny. „Mają straszliwe zęby i pożerają żywych i martwych, którzy znajdą się w morzu" – pisał przerażony Pigafetta.

Po dwóch miesiącach sztormów uszkodzone statki dopadła cisza morska. Załogi miały dosyć. Wybuchł bunt, który udało się Magellanowi powstrzymać. W trzecim miesiącu wyprawy dotarli do Ameryki Południowej, naprawili okręty, uzupełnili żywność i wodę. Pięć miesięcy później, gdy flotylla zimowała u wybrzeży Patagonii, część oficerów znów podniosła bunt, a między „Concepcion" i „Trinidad" doszło nawet do pojedynku na działa! Magellan jednak pokonał buntowników. Wyprawa trwała dalej.

## Przejście na Pacyfik

Magellan badał wybrzeża Patagonii, poznawał ogromnych tubylców, wprawiających Hiszpanów w przerażenie. Przeciętny Europejczyk dorastał wówczas do 1,50 – 1,60 metra, więc dwumetrowy Indianin, w dodatku ludożerca, musiał budzić grozę! Ekspedycję trapiły złe przygody. Wysłany na zwiady „Santiago" rozbił się na skałach, a „San Antonio" uciekł do Hiszpanii. Magellan na czele trzech statków znalazł jednak upragnioną cieśninę. Krętą drogą morską, wśród ostrych skał, lodowców, wysp, zatok i śniegów, wydostali się na wielki, bezkresny Ocean Spokojny. Ich podróż trwała już rok i dwa miesiące.

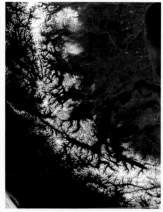

Cieśnina Magellana widziana z kosmosu

## Ups! Ależ ta Ziemia jest ogromna...

Mapy wyrysowano według obliczeń Ptolemeusza, więc wielki odkrywca wciąż łudził się, że do Indii pozostał mu niewielki kawałek. Tymczasem, jak zapisał Pigafetta: „Płynęliśmy trzy miesiące i dwadzieścia dni. Jedliśmy stare suchary pełne kurzu i robaków, piliśmy cuchnącą wodę, jedliśmy skóry wołowe i szczury". Na szkorbut chorowali prawie wszyscy, a 29 ludzi zmarło. Magellan w ataku wściekłości wyrzucił za burtę nic niewarte mapy. Wreszcie 6 marca 1521 roku na w pół żywe załogi ujrzały ląd. Ląd – oznaczał wodę, jedzenie, owoce, odpoczynek. Ale także kłopoty w postaci tubylców, którzy częstowali obcych… zatrutymi strzałami.

### Koniec Magellana, ale nie koniec wyprawy

Na Filipinach Magellan został przyjęty jak przyjaciel. Niestety, uległ prośbom miejscowego władcy i zgodził się pomóc mu pokonać wrogów. Z niewielkim oddziałem, ufając przewadze broni palnej nad łukami, popłynął szalupami do boju i… przegrał, zaatakowany przez kilkuset tubylców. Zginął w wieku 41 lat.

Misja jednak trwała nadal. Żeglarze spalili „Concepcion", która nie nadawała się już do dalszej podróży. Pozostałe dwa statki dotarły do Wysp Korzennych i wypełniły ładownie drogocennym pieprzem, goździkami i gałką muszkatołową. Potem załogi rozdzieliły się. „Trinidad" zmylił jednak drogę i wpadł w ręce Portugalczyków, po to by niebawem zatonąć w porcie podczas sztormu.

Uszkodzona, przeciekająca, trapiona przez cyklony i dwudziestometrowej wysokości fale, prowadzona przez osiemnastu ludzi „Victoria", powróciła do Hiszpanii. Pokonała trasę 69 000 kilometrów. Przywiozła 25 ton goździków, które sprzedano z wielkim zyskiem.

### A po Magellanie...

- Cieśninę prowadzącą z Atlantyku na Pacyfik, którą odkrył, nazwano jego imieniem w 1536 roku.
- Antonio Pifagetta został słynnym pisarzem.
- Ostatecznie udowodniono, że Ziemia jest okrągła i o wiele większa niż się to do tej pory zdawało.
- Juan Sebastian Elcano, ostatni kapitan „Victorii", który przyprowadził ją do Hiszpanii, został dowódcą nowej wyprawy. Kolejnych pięć statków pożeglowało śladami Magellana, ale zabrakło jego geniuszu i doświadczenia. Trzy jednostki zatonęły zanim przepłynięto cieśninę. Na Pacyfiku żeglarze znów walczyli ze szkorbutem, ale nikt nie zabrał konfitur z pigwy, toteż prawie wszyscy zmarli, a do ojczyzny powróciło jedynie ośmiu z 450 ludzi.
- Kolejne misje też kończyły się klęską. Następna udana wyprawa dookoła świata odbędzie się dopiero w 1580 roku – dokona tego angielski korsarz sir Francis Drake.

# Mapa świata z XVII wieku

## Inni też chcą kawałek...

Traktat z Tordesillas, w którym Hiszpania z Portugalią podzieliła świat już pod koniec XVI wieku, przestaje mieć znaczenie. Kolejne państwa budują wielkie floty i chcą mieć udział w bogactwach, jakie można zdobyć w Nowym Świecie. Na pierwszą potęgę morską wyrasta Anglia, ale na oceanach pojawiają się także okręty Francji, Holandii i Danii. Ekspedycji przybywa, a wraz z nimi – kolejnych odkrytych ziem i wysp, nad którymi powiewają flagi różnych państw.

## Pirat królowej

Najsłynniejszym rozbójnikiem XVI wieku był Anglik sir Francis Drake. Królowa Elżbieta mianowała go korsarzem, czyli piratem, który oficjalnie pracuje dla swego kraju. Drake wsławił się napadami na hiszpańskie galeony na Morzu Karaibskim, ale w 1577 roku dokonał zuchwałego wyczynu: przeprawił się przez Cieśninę Magellana i zaczął grabić Hiszpanów tam, gdzie się tego najmniej spodziewali: wzdłuż pacyficznych wybrzeży Ameryki Południowej. Następnie trasą wytyczoną przez Magellana, przez Pacyfik, Ocean Indyjski i Atlantyk, powrócił do Anglii, przywożąc skarb wart półtora miliona dukatów, czyli tyle, ile Portugalia zarabiała na swoich koloniach w ciągu sześciu lat! Nagrodą był tytuł szlachecki i szpada od królowej, na której ostrzu wygrawerowano napis: „Kto podniesie rękę na ciebie, Drake, podniesie ją i na nas". To było ostrzeżenie dla Hiszpanów, żeby nie zadzierali z Anglią.

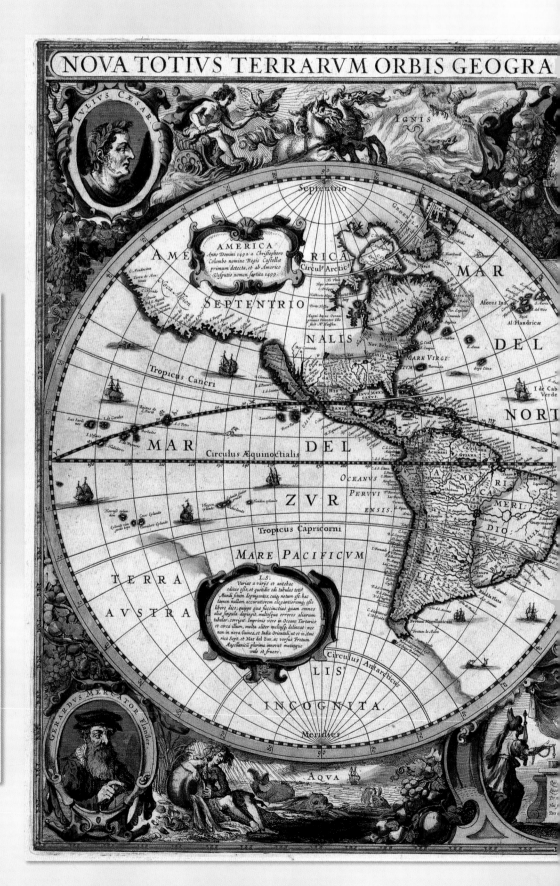

## Co się zmieniło na morzu?

Karawele tracą sławę najdoskonalszych statków. Kolejne pokolenia budowniczych konstruują coraz lepsze i szybsze żaglowce. Wiek XVI i XVII to czas galeonów, fregat i fluit – szybkich, dobrze uzbrojonych jednostek. Teraz już żaden statek nie wyjdzie w morze bez dobrej artylerii na pokładzie – na morzach grasują angielscy i holenderscy piraci łupiący statki portugalskie i hiszpańskie. Skoro nie da się wywalczyć własnej kolonii w Ameryce, trzeba zrabować to, co zdobyli inni!

## Co słychać na mapach?

Północna i północno-wschodnia część Ameryki nadal stanowią tajemnicę i ich kontury są raczej wytworem fantazji kartografów. Kilka wypraw próbowało opłynąć ją od północy, ale w surowym arktycznym klimacie nie dali rady i wszyscy zginęli lub zawrócili. Ameryka Południowa na każdej mapie ma inny kształt i grubość. Z kolei na południu wciąż widnieje Terra Australis Incognita – wielki kontynent, którego istnienia ludzie tylko się domyślają. Na południowym Pacyfiku pojawia się jednak spora wyspa, niemal dotykająca tego tajemniczego kontynentu. Za sto lat trzeba będzie ponownie przerysować mapy, gdy okaże się, że to jest prawdziwa Australia, w dodatku otoczona Tasmanią, Nową Gwineą i Nową Zelandią. Na razie jednak wszystkie te ziemie bawią się z żeglarzami w chowanego na bezkresnym oceanie.

## Co się zmienia w menu?

Ziemniaki, jak pamiętamy, przywiózł do Europy Kolumb. Jednak potraktowano tę roślinę jako niesmaczną ciekawostkę. W roku 1570 Hiszpanie przywieźli sadzonki z Peru, aby uprawiać je na europejskich polach, ale rolnicy dość nieufnie odnosili się do „zamorskiego dziwadła", zwłaszcza, że surowe było niejadalne, a gotowane – takie sobie. Mimo to „dziwadło" zaczęło się przyjmować, zwłaszcza w krajach cierpiących głód, gdzie klimat był surowy – czyli w środkowej i północnej Europie. Od XVIII wieku ziemniak zaczął dosłownie królować na stołach.

## Odkrywcy z epoki

- 1534 rok: Jacques Cartier, francuski żeglarz i rybak, prowadzi ekspedycję do dzisiejszej Nowej Funlandii, rozpoczynając francuskie zdobycze w Kanadzie.

- 1587 rok: Anglik John Davies i 1610 rok: Henryk Hudson bezskutecznie szukają północnej drogi morskiej wokół Ameryki.

- 1606 rok: Holender Willem Jantszoon mija Cieśninę Magellana i opływa Amerykę Południową wokół jej najdalszego cypla, który nazywa Przylądkiem Horn.

- 1642 rok: Holender Abel Tasman opływa dookoła Australię i odkrywa wyspę Tasmanię, a następnie Nową Zelandię.

# Jak nie dostrzec Australii?

Australia jest, co prawda, najmniejszym kontynentem na świecie, ale czy wyobrażacie sobie, że można przegapić wyspę o powierzchni prawie 7,7 miliona kilometrów kwadratowych, czyli 24 razy większą od Polski? Odpowiedź brzmi: tak! Niemożliwe? Oczywiście, że możliwe! Wracamy na pokład XVI-wiecznego żaglowca. Sprawdźmy, co widać na horyzoncie!

## Co widać na horyzoncie?
Zastanawiałeś się kiedyś, jak daleko widać na morzu? To żadna tajemnica, przy takiej sobie pogodzie możesz dostrzec statek oddalony od Ciebie o 3 mile morskie, czyli mniej więcej 5,5 kilometra. Gdy widzialność jest wspaniała, a powietrze wyjątkowo czyste, odległość ta wzrasta nieznacznie. Naukowcy ustalili wzór, który pomaga sprawdzić, jak daleko sięgniesz na morzu okiem.
Oto on:
$x = 2.08$ razy $\sqrt{h}$;
x – to odległość w milach, na jaką widać linię horyzontu;
h – to wysokość, nad powierzchnią morza, na jakiej obserwator się znajduje.
Teraz wystarczy kliknąć w kalkulator i widzimy, że stojąc na plaży sięgamy wzrokiem na ok. 2 – 2,5 mili morskiej, na pokładzie żaglowca spostrzeżemy statek na dystansie 4 mil, a z masztu, 50 metrów nad pokładem, mamy widoczność na prawie 15 mil. To znaczy, że po przeliczeniu na kilometry, obserwator z masztu mógł zobaczyć wszystko w okręgu o promieniu mniej więcej 24 kilometrów.

A co to znaczy wobec ogromu oceanu?
Teraz zapewne zapytasz: a dalej się nie da? Otóż nie da się, z powodu kształtu Ziemi. Ogranicza on nasz zasięg widzenia do momentu, w którym nasza planeta się zakrzywia. Widzisz tylko to, co z Twojego punktu widzenia leży przed krzywizną. No, chyba że to coś jest bardzo, bardzo wysokie.

## Wachta na maszcie
Pamiętasz wyprawy wikingów? Wypatrywali punktów orientacyjnych na wybrzeżu, które opuszczali i następnie na lądzie, do którego zmierzali. Mieli ułatwione zadanie, ponieważ norweskie brzegi są wysokie, górzyste, szczyt wysokości 2 kilometrów był widziany przez wikinga, który wdrapał się na 15-metrowy maszt, nawet z odległości 100 mil, czyli 180 kilometrów! Dlatego też marynarz obserwujący Pacyfik wysoko, na głównym maszcie, 50 metrów nad poziomem morza, mógł wypatrzeć wysokie australijskie góry z odległości ok. 200 kilometrów.
Ale jeśli akurat płynęli o 230 kilometrów od Australii i widoczność była marna z powodu lekkiej mgiełki? Cóż to jest 30 kilometrów w jedną czy drugą stronę na olbrzymim oceanie? Po prostu wtedy musieli ją przegapić.

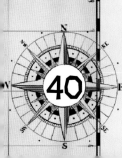

## Tymczasem przez lunetę...

Kolumb, Magellan i jeszcze wielu innych żeglarzy mogli dostrzec tyle, ile ujrzeli tak zwanym gołym okiem. Tymczasem w 1609 roku astronom Galileusz zgłębił wiedzę na temat soczewek, czyli odpowiednio zeszlifowanych szkieł i zaczął eksperymentować, zestawiając je ze sobą. W efekcie wynalazł teleskop, który pozwolił mu zajrzeć w kosmos dalej niż innym badaczom. Nie trzeba było czekać długo, by zawitał on na pokłady żaglowców. Luneta, dająca się zastosować na morzu, została skonstruowana w 1615 roku. W połowie XVII wieku każdy szanujący się kapitan statku musiał już posiadać taki cud techniki.

Czy dzięki temu można było widzieć dalej niż przed wynalezieniem teleskopu? Absolutnie nie. Luneta nie umożliwia zobaczenia czegoś skrytego za horyzontem. Pozwala za to widzieć dokładniej, bo w zbliżeniu. Dzięki niej można było wcześniej rozpoznać banderę powiewającą nad statkiem lub odróżnić chmurę od zarysu lądu. Czyli, mimo wyposażenia w lunetę, wciąż było możliwe przegapienie Australii...

## Nie wszędzie dało się przybić do brzegu

Ląd dostrzeżony na horyzoncie nie zawsze dał się zbadać lub opłynąć. Mogły to uniemożliwiać przeciwne wiatry i silne prądy morskie. Niebezpieczeństwo stanowiły częste na Pacyfiku rafy koralowe broniące dostępu do wybrzeży, o które drewniany kadłub mógł się łatwo roztrzaskać. Wreszcie – jeśli odnaleziony ląd nie miał zacisznej zatoki lub piaszczystej plaży, gdzie można by zakotwiczyć bezpiecznie statek, lub przynajmniej wysłać bezpiecznie łódź ze zwiadowcami, kapitanowie zazwyczaj rezygnowali z oględzin takiej wyspy.

## Długość i szerokość geograficzna, czyli: gdzie właściwie jesteśmy...?

Przez całe wieki żeglarze pływali przez oceany „na oko", nie wiedząc zbyt dokładnie, gdzie się znajdują. Tymczasem do określenia dokładnej pozycji statku potrzebne są dwie informacje: długość i szerokość geograficzna. Jeśli narysujemy na półkuli ziemskiej dwie przecinające ją na krzyż linie, pozioma będzie równikiem, a pionowa – południkiem zerowym. Szerokość geograficzna to odległość, w jakiej statek znajduje się od równika. Mierzy się ją, sprawdzając w południe kąt pomiędzy pozycją słońca a horyzontem. Długość geograficzna to odległość od południka zero. Mierzy się ją sprawdzając różnicę czasu: która godzina jest w miejscu pomiaru i w miejscu leżącym na południku zerowym. Tak jak w szkole: na osi poziomej należy odliczyć tyle punktów, a na osi poziomej tyle i wykreślić linie, żeby się ze sobą skrzyżowały. Jesteśmy... tu!

Horyzont – granica tego, co możesz dostrzec z miejsca, w którym się znajdujesz. W mieście trudno o wyznaczenie horyzontu, bo z każdej strony coś Ci go zasłania. Ale na plaży lub na pełnym morzu horyzontem jest ta linia, gdzie niebo styka się z morzem. Nie zobaczysz niczego, co jest za tą linią, gdyż przeszkadza Ci w tym krzywizna Ziemi.

Mila morska i lądowa – jednostka mierzenia odległości. Mila morska liczy 1852 metry, zaś angielska mila lądowa – 1609 metrów.

### Nowości na pokładach

Sto lat po lunecie wynaleziono **sekstant** – skomplikowane urządzenie wyglądające jak kawałek mechanicznej pizzy, opracowany przez szalonego inżyniera. Składał się z kilku lusterek i filtrów optycznych, podziałek, lunetki i ruchomego wskaźnika. Sekstant był o wiele dokładniejszy od dotychczas stosowanego astrolabium. Pozwalał na określenie dokładnej wysokości gwiazdy lub słońca nad horyzontem i obliczenie szerokości geograficznej, na której znajdował się statek z dokładnością do... 185 metrów! Niezły wynik, prawie jak w GPS.

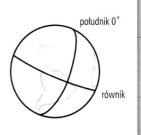

południk 0°

równik

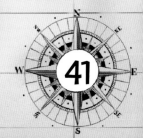

# James Cook i wyprawa z zegarkiem

James Cook (N. Dance-Holland)

Od słynnej podróży Magellana upłynęło dokładnie 249 lat, gdy z angielskiej bazy w Plymouth 26 sierpnia 1768 roku wypływał trzymasztowy żaglowiec „Endeavour". Dowodził nim kapitan James Cook, który niebawem zostanie uznany za największego żeglarza wszech czasów. Gdy powstawała ta książka, a więc w 2014 roku, upłynęło od tamtego dnia 246 lat. I wiecie co? Kapitan Cook nadal uważany jest za największego żeglarza wszech czasów. Zaś na Tahiti czczono go jako... boga! Chyba warto poznać tego człowieka...

## Przeznaczony morzu

Urodzić się w biednej szkockiej rodzinie w 1728 roku? To oznaczało ubogie, ciężkie i smutne życie bez szans na edukację, zarobki, sławę i sukces. Tak też zaczynał James Cook. Razem z czworgiem rodzeństwa od dziecka musiał zarabiać, by pomagać rodzicom. Pracował w polu i w sklepie. Nie wiemy, czy marzył o podróżach, ale w wieku 16 lat dostał się na statek jako praktykant. Oznaczało to, że musiał wykonywać najtrudniejsze, najbrudniejsze, najbardziej obrzydliwe i ciężkie prace, jakich nie cierpieli zwykli marynarze. Okropność! Mimo to znajdował czas na uczenie się – a oficerowie i żeglarze, widząc ciekawego świata i pojętnego chłopaka, wtajemniczali go w sekrety ówczesnej żeglarskiej wiedzy. W ciągu kilku lat Cook opanował biegle matematykę, geometrię, trygonometrię, nawigację, astronomię... Poza tym nauczył się wszystkiego, co trzeba było wiedzieć o prowadzeniu statku! Zdolnego i ambitnego 19-latka awansowano na oficera, a sześć lat później został kapitanem handlowego żaglowca. I tego było mu mało! Rok później zaciągnął się do marynarki wojennej. Tu wsławił się umiejętnością nawigacji i sporządzania map. Niektóre mapy jego autorstwa pomogły Anglikom w zwycięskich bitwach i zostały przyjęte jako obowiązujące dla całej floty! Po jedenastu latach służby brytyjska Admiralicja i Królewskie Towarzystwo Naukowe powierzyły ambitnemu oficerowi poważną misję. Szykuje się nowa podróż dookoła świata! Już osiągnął niebywały sukces, a to przecież dopiero początek...

## Co się zmieniło na oceanach?

Portugalia przestała być potęgą morską. Na oceanach królują floty Anglii, Hiszpanii, Francji i Holandii. Państwa te toczą między sobą zaciekłe boje o panowanie nad morskim handlem. Wojny, choć jak zawsze głupie i okrutne, przyczyniają się jednak do rozwoju techniki. W tym wypadku – do budowy coraz lepszych i wytrzymalszych żaglowców.

## Endeavour i Victoria

Znacie już kapitana Cooka, warto zerknąć na jego statek. Jest prawie nowy, zwodowano go przed czterema laty. Służył jako transportowiec węgla, więc ma solidny kadłub, jest niezbyt szybki, za to bardzo zwrotny. Ma tylko 30 metrów długości i 9 szerokości. Ho, ho! A pamiętacie statek Magellana? Był o całe dziesięć metrów dłuższy i mógł przewieźć aż 800 ton ładunku, tymczasem statek kapitana Cooka jedynie 369 ton. Jak to? Nie mogli mu dać czegoś większego? Mogli, ale dali taki: solidny, stabilny i bezpieczny. Nie wysłali też Cooka po setki ton pieprzu i goździków, ale po odkrycia naukowe, a te zajmują zdecydowanie mniej miejsca w ładowniach. W do-

datku Magellan mógł postawić jedynie sześć żagli, bo tyle wytrzymywała konstrukcja jego karaweli. Tymczasem nad pokładem Endeavoura wybrzuszało się 17 wielkich płócien mocowanych w trzech kondygnacjach. Ale, uwierzcie, to niejedyne nowinki na pokładzie XVIII-wiecznego żaglowca.

## Tik-tak!

Sekstans umożliwiał precyzyjne określanie szerokości geograficznej, z dokładnością do stu metrów. A co z długością? Bez dokładnego zegara nie dawało się jej zmierzyć i kapitanowie nadal wiedzieli jedynie „mniej więcej", gdzie się znajdują. To „mniej więcej" kosztowało Anglików w 1707 roku eskadrę okrętów, które weszły na skały i zatonęły, ponieważ dyżurny nawigator nie potrafił obliczyć ich pozycji. Admirałów, mówiąc brzydko, szlag trafił i rozpisali konkurs dla wynalazców precyzyjnego urządzenia, które pozwoli określać długość geograficzną z dokładnością do 30 mil, czyli około 50 kilometrów. Do wyścigu stanęli najwięksi

Chronometr

uczeni, a wygrał… prosty cieśla-złota rączka, który wymyślił zegar napędzany sprężyną. Dzięki temu chronometr mógł pracować na bujającym się na falach okręcie i nie mylił rytmu odmierzania czasu. Kapitan Cook miał więc na pokładzie najnowszą technikę, pozwalającą zorientować się, gdzie naprawdę znajduje się okręt.

## Nowe mapy

Precyzyjny zegar pozwolił na tak dokładne pomiary, że… XVIII-wieczne mapy przestały wreszcie wyglądać jak „wariacje na temat planety Ziemia". To, czego nie udało się odkryć, nadal było białą plamą, ale zbadane morza i lądy zostały nakreślone niemal tak precyzyjnie, jak we współczesnych atlasach. To niesamowite, ile zależało od – zdawałoby się – zwykłego zegarka!

## Po co wysłano Cooka?

- Astronomowie wyliczyli, że w 1769 roku nastąpi niezwykle rzadkie zjawisko – planeta Wenus przejdzie na tle tarczy słonecznej – i najlepiej będzie obserwować je na półkuli południowej, tam gdzie niebo jest najczystsze, czyli na Pacyfiku. Wyprawa Cooka miała dotrzeć na wyspę Tahiti i dokonać obserwacji astronomicznych.
- Biorący udział w wyprawie naukowcy mieli badać i opisywać nowe rośliny, ptaki, zwierzęta i morskie stworzenia.
- Admirałowie chcieli wiedzieć, czy na południu naprawdę znajduje się legendarny szósty kontynent zwany Terra Australis.

**Kanibale** – ludożercy, czyli plemiona mieszkańców różnych odległych kontynentów, którzy mają we zwyczaju żywienie się ludzkim mięsem (np. zjadają zabitych nieprzyjaciół lub wścibskich podróżników).

**Dezynfekcja** – statku: polega na oczyszczeniu z brudu, zarazków, nieczystości poprzez porządne umycie, wyczyszczenie lub wywietrzenie rzeczy i pomieszczeń. Dezynfekcja rany polega na jej umyciu, usunięciu zanieczyszczeń i zabezpieczeniu – plastrem lub bandażem.

# James Cook i kiszona kapusta

Brytyjska Marynarka Wojenna i Królewskie Towarzystwo Naukowe miały wszystko: okręty, sprzęt nawigacyjny, nowoczesne urządzenia badawcze i pieniądze na sfinansowanie wyprawy. Kiedy wyznaczano dowódcę, wybór mógł być tylko jeden: najlepszy nawigator i kartograf w całej flocie, James Cook.

## Geniusz i beczka kapusty

Historia milczy, jak James Cook wpadł na pomysł, że najlepszą ochroną przed szkorbutem jest jedzenie świeżych warzyw i owoców oraz kiszonych przetworów. Nie znano jeszcze pojęcia „witaminy" ani że coś takiego w ogóle istnieje. Wiedziano jednak, aż za dobrze, jakie zagrożenie niesie szkorbut. W 1740 roku Anglicy wysłali potężną eskadrę 8 okrętów na wojenny patrol na Ocean Spokojny. Część marynarzy poległa w bitwach, ale większość zmarła na tę chorobę. Po 3,5 roku z dwóch tysięcy ludzi wróciło 70.

Cook wypełnił tymczasem ładownie statku warzywami. Na pokładzie urządzono w skrzyniach plantacje rzepy i cebuli podlewane deszczówką. Żeglarze regularnie dostawali warzywa i owoce, grochówkę zaprawianą cebulą, sok z cytryn, wreszcie – porcje kiszonej kapusty, której mnóstwo beczek załadowano pod pokład. Początkowo załoga zbuntowała się, uznając, że to jedzenie niegodne wilków morskich. Dopiero gdy Cook ogłosił, że to potrawa dla oficerów i mogą oni jeść z beczek ile tylko chcą, zwykli marynarze też zaczęli się jej domagać.

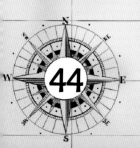

Dodajmy, że kapitan rozkazał regularnie prać i wietrzyć odzież, a raz w tygodniu wietrzono i **dezynfekowano** wszystkie pomieszczenia na statku. Efekt? W trakcie prawie czteroletniego rejsu z 94-osobowej załogi zginęło w sztormach i wypadkach pięciu ludzi. I nikt nie zachorował na szkorbut. Myślicie, że dieta Cooka natychmiast przyjęła się na statkach? Nic z tego! Brytyjska Admiralicja łaskawie zgodziła się – tytułem eksperymentu – wprowadzić te dziwaczne nowinki dopiero w 1795 roku.

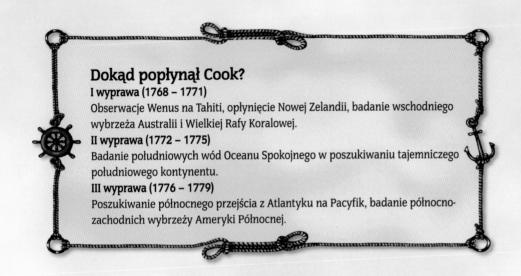

### Dokąd popłynął Cook?

**I wyprawa (1768 – 1771)**
Obserwacje Wenus na Tahiti, opłynięcie Nowej Zelandii, badanie wschodniego wybrzeża Australii i Wielkiej Rafy Koralowej.
**II wyprawa (1772 – 1775)**
Badanie południowych wód Oceanu Spokojnego w poszukiwaniu tajemniczego południowego kontynentu.
**III wyprawa (1776 – 1779)**
Poszukiwanie północnego przejścia z Atlantyku na Pacyfik, badanie północnozachodnich wybrzeży Ameryki Północnej.

## Jak wyspiarze zabili swego boga

Gdy Cook przybył na wyspę Tahiti w 1769 roku, tubylcy wzięli go za boga przybywającego na uskrzydlonym okręcie. Trzeba trafu, że stało się to dokładnie w dniu święta religijnego związanego z przepowiednią, że kiedyś przypłynie biały bóg i sprowadzi powszechny dobrobyt. Cook, chcąc nie chcąc, został obwołany bóstwem…

Jednak kolejne wizyty na wyspie przestały się podobać mieszkańcom, którzy zaczęli szeptać, że co to za bóg, który przypływa, odpływa i nic się od tego nie zmienia. W trakcie trzeciej podróży Cook przybił na Tahiti zniszczonym przez sztormy żaglowcem i z wyczerpaną załogą. Tubylcy stwierdzili, że bóstwo jest mało boskie, skoro potrzebuje pomocy. Bezczelnie zaczęli podkradać ze statku przedmioty, a nawet szalupę. Szybko wywiązała się awantura, która przerodziła się w zbrojną potyczkę. Wyspiarze zabili Cooka, a jego ciało zjedli, byli bowiem **kanibalami**. Wielki żeglarz nie powrócił już ze swej trzeciej wyprawy.

Mimo że Tahitiańczycy zabili Cooka, nadal czcili go jako boga! W 1790 roku załoga żaglowca „Bounty" była świadkami całonocnej religijnej uroczystości odprawianej ze śpiewem i tańcem przed portretem wielkiego żeglarza, który zginął z rąk tego plemienia przed 10 laty!

### Odkrycia Cooka

Cook jako pierwszy stwierdził, że nowa Zelandia to dwie osobne wyspy, a Nowa Gwinea nie łączy się z Australią. Jako pierwszy „odkrył" i opisał **kangura**, zwierzę wówczas nieznane Europejczykom. Podczas swej drugiej wyprawy jako pierwszy człowiek na świecie przepłynął Ziemię z zachodu na wschód.

Sporządził dokładne mapy północnych wybrzeży Ameryki wraz z brzegiem Alaski. Zapuścił się daleko na południe, aż dotarł do granicy pływających lodów. Uznał wtedy, że południowy kontynent nie istnieje, a jeśli nawet, to nie da się tam dotrzeć.

Kangur olbrzymi

# James Cook i jego epoka

Legendarny kapitan Cook nie był jedynym odkrywcą w swojej epoce. W tamtych czasach wszystkie kraje dysponujące nowoczesną flotą wysyłały wyprawy na poszukiwanie nieznanych lądów, które można by zająć i uczynić z nich kolonie. Czasy, kiedy na morzach i oceanach rządziły jedynie Hiszpania i Portugalia, odeszły zdecydowanie do historii.

### Co odkryto przed wyprawą Cooka?

Na Pacyfik wysyłano liczne wyprawy, ale tylko niektóre kończyły się sukcesami:

- Mniej więcej 150 lat przed Cookiem Luis de Torres dostrzegł wyspy leżące nieopodal Australii.
- W 1606 roku Holendrzy widzieli Australię, ale nie mieli pojęcia, czy to wyspa, czy stały ląd i jak duże jest to „coś".
- Holender Abel Tasman w latach 1642 – 1644 opłynął Australię dookoła, odkrył wyspę – Tasmanię, wyspy Fidżi, a także Nową Zelandię.
- Francuz Louis Bougainville w latach 1766 – 1769 odkrył i zbadał wiele wysp na Pacyfiku.

## Płyń, lesie...

W osiemnastowiecznej Anglii, która jeszcze dwieście lat wcześniej była zieloną, szumiącą wyspą, zaczęło brakować lasów! Spaliły się? Zżarły je korniki? Nic z tych rzeczy! Angielskie lasy podróżowały po morzach i oceanach. Jeśli przyjmiemy, że na jednym hektarze lasu rośnie trzydzieści 100-letnich dębów, to na wykonanie jednego pełnomorskiego bojowego okrętu trzeba było ściąć 100 hektarów starej dąbrowy. A przecież potrzebne były także sosny i jodły na maszty, buki na wiosła, wiązy i graby na inne wyposażenie, topole na ozdoby. Anglia zaczęła sprowadzać drewno, a znaczna część tych transportów pochodziła m.in. z polskich i rosyjskich lasów.

## Okręty, które zdobyły świat

Najpotężniejsze okręty liczyły nawet 60 metrów długości, a ich maszty wznosiły się 70 metrów ponad pokład. Do wykonania jednego masztu trzeba było zużyć do trzydziestu prostych jak struna sosen lub świerków. Największe żagle miały rozmiar boiska do koszykówki, a średnica najgrubszych lin wynosiła 65 centymetrów. Żeby spleść taką linę, trzeba było połączyć i skręcić ze sobą tysiące cieniutkich sznureczków w warsztacie, którego hala liczyła 300 metrów długości.

Okręt liniowy płynący pod pełnymi żaglami, uzbrojony w sto kilkadziesiąt dział, obsadzony przez 300-osobową załogę i kompanię piechoty morskiej był trudnym do pokonania przeciwnikiem i śmiało zapuszczał się nawet na najdalsze połacie oceanu.

## Poczet odkrywców epoki Cooka

### Vitus Bering bada Alaskę

Duński nawigator w służbie rosyjskiego cara odbył w latach 1725 – 1741 kilka wypraw badawczych na Syberię, za krąg podbiegunowy oraz na Półwysep Kamczatka, gdzie założył istniejące do dziś miasto Pietropawłowsk. Podczas niebezpiecznych polarnych rejsów odkrył wiele wysp i zatok na północnym Pacyfiku i stwierdził, że Ameryka i Azja nie łączą się ze sobą. Na cześć Beringa morze i cieśninę rozdzielające kontynenty nazwano jego nazwiskiem.

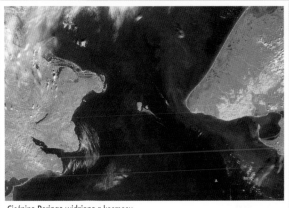
Cieśnina Beringa widziana z kosmosu

### La Pérouse ginie na Pacyfiku

To miała być najwspanialsza wyprawa badawcza na świecie. I rzeczywiście była. Francuzi przygotowali dwa najnowocześniejsze żaglowce i wyposażyli je we wszystkie nowinki techniczne, naukowe, astronomiczne, żeglarskie... i co tylko jeszcze można było sobie wówczas wyobrazić. Wyprawa wyruszyła w sierpniu 1785 roku. W ciągu trzech lat spenetrowała niemal każdy zakątek Oceanu Spokojnego, zbadała zachodnie wybrzeża Ameryki Północnej, północne rejony Pacyfiku, Morze Japońskie, a nawet wybrzeża Kamczatki. Potem zaginęła. Dopiero w roku 1829 odnaleziono szczątki okrętu na jednej z wysp archipelagu Santa Cruz. W 1964 roku ekspedycja poszukiwawcza odnalazła na dnie morza wrak fregaty, a na wyspie groby kilku uczestników wyprawy. Okazało się, że gdy okręty rozbiły się na rafach koralowych tubylcy zabili i zjedli pozostałych przy życiu Francuzów.

### Wielka, biała plama

Pod koniec XVIII wieku zarysy kontynentów i wysp na mapach świata były prawie tak dokładne jak dziś. Oczywiście ogromne połacie Azji, Afryki i obu Ameryk wciąż czekały na zbadanie i opisanie. Jednak największą „białą plamą" była Antarktyda. Kontynent o powierzchni 14 milionów kilometrów kwadratowych pozostawał niedostępny, dosłownie ukryty przed wzrokiem żeglarzy. Żaglowce nie potrafiły przedrzeć się przez zamarzające morze i zatoki pełne pływających gór lodowych. Ten tajemniczy ląd dostrzeżono wreszcie w 1819 roku, ale pierwszy człowiek postawił na nim stopę dopiero w 1895 roku!

# Pierwsza oceaniczna podróż świata

Skąd wzięli się ludzie na Wyspach Polinezji leżących pośrodku Oceanu Spokojnego? Zapewne musieli przypłynąć ze wschodu, na przykład z Filipin, Nowej Gwinei, Australii, skąd mieli najbliżej. Niestety, tak być nie mogło. Wyspiarze z Polinezji różnią się od ludzi zamieszkujących wschodnie części Pacyfiku, ich kultura, obyczaje, tradycje także są zupełnie inne. Czyżby przybyli więc z Zachodu? Ale w jaki sposób?

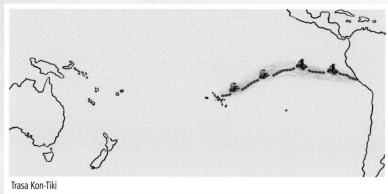
Trasa Kon-Tiki

### Norweg pod palmą wymyśla szaloną teorię

Oto nasz kolejny bohater: Thor Heyerdahl. Trudne ma nazwisko, jak to bywa z Norwegami. Nie ma pojęcia o żeglarstwie, na statkach gości tylko jako pasa-

Thor Heyerdahl

żer. Bada kulturę mieszkańców Polinezji. Zastanawia go, czemu są tak podobni do Indian zamieszkujących Peru i Ekwador, czemu ich budowle, świątynie, nawet rzeźby sprawiają wrażenie, jakby były skopiowane od mieszkańców Ameryki Południowej? I wreszcie najważniejsze: skąd wzięła się legenda przekazywana od tysiąca lat, że przodkowie wyspiarzy zostali wygnani z dalekiego zachodniego lądu, a wielki wódz Tiki poprowadził ich tratwy zbudowane z drzewa balsa przez ocean aż tutaj? Czy to możliwe, by w roku 500 dało się przepłynąć tratwą przez pół oceanu? Przecież nawet teraz to niemożliwe…

Thor Heyerdahl uwierzył, że jest to jedyne sensowne wytłumaczenie podobieństw ludzi, języków i kultur oddalonych od siebie o tysiące kilometrów. Tylko czy ktokolwiek jeszcze w to uwierzy?

### „Weź pan i popłyń...!"

Gdy przedstawił swą teorię naukowcom, ci potraktowali go jak bajkopisarza, a nie uczonego. Jeden z profesorów wyśmiał go, mówiąc: „Doskonale, proszę spróbować odbyć podróż z Peru na wyspy Oceanu Spokojnego na tratwie z balsy!". Heyerdahl zawziął się i… spróbował. Zebrał pięciu odrobinę szalonych i bardzo odważnych ludzi. Poruszył niebo i ziemię, by zdobyć fundusze na wyprawę. Osobiście brał udział w ścinaniu w ekwadorskiej dżungli potężnych drzew balsa, których drewno jest lżejsze od korka. Śmiałkowie sami zbudowali tratwę, dokładnie według starych indiańskich rysunków. W przygotowaniu wyprawy brały udział rządy kilku krajów, pomagali dyplomaci i wojskowi. Tratwę zbudowano w bazie marynarki wojennej w stolicy Peru – Limie. Niezależnie od udzielanej pomocy, rosło grono ludzi pukających się w czoła. Śmiałkowie słyszeli codziennie: „Zwariowaliście? Przecież się potopicie! Nawet nie próbujcie wyruszać!". Był rok 1947.

# „Kon-Tiki"

### Kadłub
9 grubych bali związanych linami. Najdłuższy miał 14 metrów.
9 cieńszych pni ułożonych w poprzek wzmacniało konstrukcję.
2 kolejne pnie ułożono na burtach jako osłony.

### Liny
Konopne oraz naturalne liany ścinane w dżungli.

### Szałas mieszkalny
Zbudowany z bambusa, pokryty dachem z liści bananowca. Wymiary: 2,4 na 4,2 metra, wysokość 1,5 metra.

### Powierzchnia tratwy
13,7 metra długości, 7,2 metra szerokości.

### Powierzchnia tratwy
13,7 metra długości, 7,2 metra szerokości.

### Dwa maszty
Z twardego drzewa mangrowca o wysokości 8,8 metra. Reja z prętów bambusowych.

### Żagiel
O powierzchni 25,3 metra kwadratowego.

### Wiosło sterowe
O długości 5,8 metra.

### Drewniane miecze
O długości 1,5 metra każdy – pomagały utrzymywać kurs.

### Załoga „Kon-Tiki":
- Thor Heyerdahl – kapitan;
- Erik Hesselberg – nawigator;
- Knut Haugland, Torstein Raaby – eksperci od radiostacji;
- Herman Watzinger – inżynier, meteorolog;
- Bengt Danielsson (Szwecja) – jedyny nie-Norweg w wyprawie; socjolog.

„Kon-Tiki" zbudowano bez użycia gwoździ, śrub, drutu i innych elementów metalowych. Można ją dziś podziwiać w muzeum w Oslo.

## 7000 kilometrów oceanu
Tratwa, pchana wiatrem i Prądem Peruwiańskim, przemierzyła 6980 kilometrów pustego oceanu z dostojną średnią prędkością półtora węzła na godzinę, czyli z prędkością spacerującego po parku staruszka. Bez uszkodzeń przetrwała sztormy i ogromne fale, a jedyną ofiarą rejsu okazała się papuga porwana przez wicher. Załoga miała pod dostatkiem słodkiej wody, którą wieźli w metalowych bańkach i bambusowych rurach i której sporo spadało podczas ulew. Codziennie mieli świeże ryby (część z nich sama wpływała lub wskakiwała na pokład tratwy). Jedli też plankton, którym żywią się wieloryby. Podczas rejsu badali zjawiska meteorologiczne, zachowanie oceanu i jego mieszkańców, odkryli też i opisali nieznane gatunki ryb. Przeżyli bliskie spotkania z wielorybami, rekinami i wielkimi ośmiornicami. Łączność ze światem zapewniały im wojskowe radiostacje. Pierwszą wyspę, na której niestety nie udało im się wylądować, osiągnęli po 97 dniach rejsu. Co ciekawe, dokładnie taki czas podróży Heyerdahl wyliczył na długo, nim w ogóle zbudowali tratwę! Cztery dni później fale zniosły ich na rafę koralową wysepki Raroia, na której tratwa uległa uszkodzeniom, ale nie zatonęła. Po 101 dniach podróży wylądowali w Polinezji. Przemądrzali profesorowie mieli się z pyszna, gdy świat dowiedział się o wyczynie norwesko-szwedzkiej wyprawy, która udowodniła, że 1500 lat temu Polinezyjczycy mogli przybyć na środek oceanu z Ameryki Południowej.

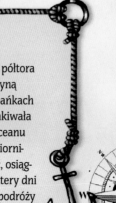

49

## Co się zmienia w świecie?

Maszyny parowe służące do napędzania fabryk budowano przez cały XVIII wiek. Jednak dopiero w 1768 roku Anglik James Watt opracował model, który działał niezawodnie, dawał solidną moc i nadawał się do zastosowania w każdej dziedzinie przemysłu. W tym czasie rozwinęło się hutnictwo dające coraz więcej żelaza i stali. Już w 1804 roku pojawił się pierwszy parowy pociąg jadący po stalowych szynach. Pierwszy parowiec napędzany bocznymi kołami podobnymi do kół młyna wodnego wyruszył w rejs w roku 1807. Boczny napęd słabo sprawdzał się na rozhuśtanym morzu. Ale od czego wynalazki? W 1839 roku wypłynęły z portów pierwsze parowce napędzane śrubą, prawie taką samą, jak dziś. Nowoczesna technika zawładnęła morzami.

## Odkrywcy schodzą na ląd

Pamiętacie, że na początku książki przeczytaliście zdanie: „Człowiek postawił żagle i zapanował nad wiatrem na długo zanim osiodłał konia…". Historia lubi się powtarzać. Kiedy wszystkie lądy, wyspy i wysepki zostały już odnalezione, przeliczone i ponazywane, wielcy podróżnicy i odkrywcy zeszli z pokładów statków. Dosiedli koni albo poszli pieszo w głąb wielkich, nieznanych przestrzeni Ameryki, Afryki i Azji. Zaczęła się epoka badania, co kryją w swym wnętrzu już dawno odkryte kontynenty...

# Wielkie odkrycia?

To oczywiście przypadek, ale epoka wielkich odkryć geograficznych przeminęła razem z żaglowcami. XIX wiek wjechał i wpłynął do historii ze świstem, sapaniem i pióropuszem dymu ze stalowego komina. Dzięki parowcom, niezależnym od kaprysów wiatru, dokończono odkrywanie arktycznych okolic biegunów Ziemi. Zanim o tym przeczytacie, poznajcie ostatniego, najwspanialszego przedstawiciela żaglowych statków, które z wiatrem za pan brat przemierzały oceany.

## Kliper kontra parostatek

I właśnie wtedy, jakby na przekór światu zafascynowanemu parą, stalą i dymem, zbudowano najwspanialsze statki żaglowe świata. Klipry wyglądały jak boginie mórz. Miały smukłe i długie kadłuby (50 metrów dłu-

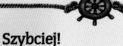

### Szybciej!

Podróż kliprem z Nowego Jorku do San Francisco (dookoła obu Ameryk!) trwała 89 dni. Z Londynu do Indii – 90, zaś rekord rejsu między Londynem i Australią wyniósł 63 dni. W roku 1870 podróż z Londynu do Nowego Jorku na pokładzie szalonego żaglowca zabierała dwa tygodnie.

Tę samą trasę w poprzek Atlantyku, sto lat wcześniej przeciętny żaglowiec pokonywał w 40 dni. Parowiec z roku 1820 potrzebował na to około 20 dni, ale jego następca z roku 1840 już tylko 12 do 15. Parostatki były coraz szybsze i nie oglądały się na wiatr czy morskie prądy. Aż wreszcie zadano żaglowcom dodatkowy cios. I to czym? Łopatą!

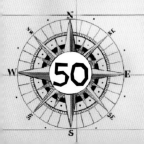

# Tylko pod żaglami!

gości i 10 szerokości), do tego dochodził jeszcze 20-metrowy bukszpryt. Na trzech lub czterech niebotycznych masztach, a także pomiędzy nimi, można było rozpiąć prawdziwą piramidę z kilkudziesięciu żagli. Przy dobrym wietrze rozpędzały się do 21 węzłów, co daje 38 kilometrów na godzinę.

Klipry służyły do szybkiego transportu. Wożono nimi herbatę i bawełnę, pocztę, a także poszukiwaczy złota, którym bardzo spieszyło się na wieść, że w Australii lub na Alasce odkryto cenne złoża. Nie były statkami odkrywców, ale wzięły od nich to, co najlepsze – wspaniałą morską dzielność, skomplikowane ożaglowanie i fenomenalny wygląd. Najsłynniejszy i jeden z najszybszych kliprów świata – „Cutty Sark" z 1869 roku – można dziś zwiedzać w Londynie

## Przekopy, które zmniejszyły świat

Na pomysł połączenia Morza Śródziemnego z Czerwonym wpadli już starożytni faraonowie i kazali przekopać przez pustynię kanał, który jednak później został zasypany. Do idei wrócili Francuzi. Za pozwoleniem władz Egiptu przystąpili do pracy w 1859 roku. Po dziesięciu latach **Kanał Sueski**, którym mogły przepływać największe ówczesne statki, został otwarty. 161 kilometrów sztucznej drogi wodnej skróciło morskie podróże między Londynem a Bombajem o 7,5 tysiąca kilometrów. Żaden kliper nie wytrzymywał już na tej trasie konkurencji z parowcami, bowiem żaglowce nie mogły pływać przez kanał. Nie miały mechanicznego napędu...

Kanał Sueski

W latach 1904 – 1914 w najwęższym miejscu przesmyku między Amerykami przekopano **Kanał Panamski**. Osiemdziesiąt kilometrów wodnego korytarza skróciło drogę z Nowego Jorku do San Francisco o 14,5 tys. kilometrów. Rejsy z Europy do Australii także stały się o wiele krótsze. Żaglowce zaczęły więc przechodzić na zasłużoną emeryturę. Służyły teraz jako statki szkolne, na których kształcili się przyszli marynarze lub jako jednostki handlowe, kursujące na bliskich trasach. Z wyścigu o panowanie na oceanach musiały się wycofać. Nie potrafiły pływać „na skróty".

Most łączący Ameryki na Kanale Panamskim

# Wielkie wędrówki przez kontynenty

Gdy wszystkie kontynenty zostały opłynięte, ich linie brzegowe dokładnie oznaczone na mapach, a większość wysp – odkryta i ponazywana, okazało się, że żeglarze mają niewiele do roboty. Mogą co najwyżej podwieźć podróżników-odkrywców do plaży i umówić się, gdzie i kiedy będą czekać na ich powrót. Białe plamy, od których roiły się ówczesne mapy, leżały w głębi lądów i oznaczały miejsca, do których biały człowiek jeszcze nie dotarł. Ale to się niebawem miało zmienić.

Meriwether Lewis

William Clark

## Podróż na Dziki Zachód

W poprzednim rozdziale przeczytaliście, że podróż szybkim żaglowcem z Nowego Jorku do San Francisco (dookoła obu Ameryk!) trwała 89 dni. W tym czasie statek musiał przebyć odległość tylko nieco krótszą niż długość równika. Ile trwałaby podróż lądem pomiędzy tymi miastami? Sprawdzili to dwaj odkrywcy i oficerowie armii Stanów Zjednoczonych, Meriwether Lewis i William Clark, którzy w 1804 roku wyprawili się w poprzek Ameryki Północnej. Ekspedycja musiała szukać dogodnych przejść, płynąć rwącymi rzekami, dbać o przyjazne i pokojowe stosunki z indiańskimi plemionami, przez których terytoria przechodzili. Zimą nie dało się podróżować, więc przeczekali śniegi i mrozy w indiańskiej wiosce. Teraz uwaga: ze Wschodniego Wybrzeża do Luizjany podróżowali 3,5 miesiąca. Z Luizjany do wybrzeża Pacyfiku – rok i siedem miesięcy. Kolejną zimę spędzili nad Pacyfikiem i wiosną 1806 roku ruszyli w drogę powrotną, która zabrała im aż sześć miesięcy! Czyli nadal o połowę dłużej niż podróż żaglowcem dookoła obu Ameryk.

Kolejni odkrywcy upewniali się, że szlaki od oceanu do oceanu wiodą przez gigantyczne prerie, nieprzebyte góry, surowe krainy, gdzie trudno o żywność i schronienie, a także przez zabójcze pustynie. W ślad za nimi jechały wozy osadników, którzy szukali nowego domu na niegościnnych, nieznanych terytoriach. Amerykanie już wiedzieli, że chcą być panami całego kontynentu. Jeszcze pod koniec XIX wieku podróż lądem od wybrzeża do wybrzeża trwała co najmniej cztery miesiące.

Ameryka Północna widziana z kosmosu

## W poprzek Australii

Choć do Australii osadnicy z Europy zaczęli przybywać już w roku 1788, musiało minąć aż 40 lat, by ktoś odważył się zbadać, jak ta część świata wygląda „od środka". Aby to sprawdzić, trzeba było przedrzeć się przez gęste, dzikie lasy i pokonać stromizny Gór Wododziałowych, piętrzących się prawie na całym wschodnim wybrzeżu. Pierwsi śmiałkowie zorientowali się, że wnętrze kontynentu jest suche, pustynne, spalone słońcem i nieprzyjazne. Tysiące kilometrów pustyni kończą się słonymi bagnami, na których człowiek prędzej zostanie pożarty przez krokodyla, nim sam upoluje coś do jedzenia. Wielu odkrywców umierało z głodu, pragnienia i wycieńczenia. Tak było, gdy w 1859 roku rząd Australii chciał połączyć północ i południe kraju linią telegraficzną i wyznaczył nagrodę dla ekipy, która wytyczy dogodny szlak dla jej przeprowadzenia. Zanim ekspedycja Roberta Burke i Williama Willsa (1860 – 1861) dotarła do celu, zginęło wielu jej uczestników.

## Amazonia

Hiszpanie i Portugalczycy opanowali wybrzeża Ameryki Południowej, ale dalej zapuszczali się niechętnie i tylko w poszukiwaniu złota. Taka wyprawa pod dowództwem Francisco de Orellany wyruszyła w 1533 roku z zachodu na wschód, z Ekwadoru, leżącego w Andach, do dżungli w sercu kontynentu. Wielka rzeka porwała łódź z uczestnikami wyprawy i poniosła ją przez ponad 5000 kilometrów do wybrzeża Atlantyku. W ten sposób de Orellana został pierwszym człowiekiem, który przemierzył wszerz całą Amerykę Południową. Przy okazji – nazwę rzeki – Amazonka i krainy – Amazonia, zawdzięczamy także jemu.

W XIX wieku Amerykę Południową badało wiele kolejnych ekspedycji. Wśród nich wyróżnić należy tę prowadzoną przez Aleksandra von Humboldta – niemieckiego przyrodnika i uczonego. Skupił się on na badaniu klimatu tej części świata oraz zwierząt i roślin. Wyprawy w głąb Amazonii były ekstremalnie niebezpieczne. Relacje uczestników czasami przerażały słuchaczy dlatego ta część świata zaczęła być nazywana „zielonym piekłem".

Pustynia Pinnacle w Australii

## No i...

Nikt nie zliczy wypraw, które w XIX wieku przemierzały kontynenty – od azjatyckich stepów po amerykańskie dżungle i australijskie pustynie. Odkrywano, badano i nazywano kolejne rzeki, jeziora, góry, gatunki zwierząt i roślin. Na przełomie XIX i XX wieku świat był już z grubsza poznany i dość wiernie narysowany na mapach. Zaś geografia stała się jednym z przedmiotów nauczanych w szkołach i wykładanych na uniwersytetach. Została uznana za ważną część wiedzy o świecie.

# Afryka Dzika, czyli dżentelmeni wśród ludożerców

Żeglarz, który wyruszał w daleką podróż morską w czasach Kolumba i Magellana miał najwyżej 20% szans, że przeżyje i powróci do domu. Jeżeli trzysta lat później, ktoś miał ochotę na podobne igranie z własnym życiem, był mile widziany jako uczestnik wyprawy badawczej do Afryki.

## Podróż w nieznane

Podróż w głąb Czarnego Lądu była wyprawą w nieznane. Wobec całkowitych bezdroży, suchych jak pieprz pustyń i obszarów sawanny, nieprzebytych dżungli oraz pasm górskich, najszybszą podróż zapewniały rzeki. Odkrywcy często musieli zawracać z wybranej drogi, gdy napotykali przeszkody nie do przebycia. Poszukiwania lepszego szlaku zajmowały nawet kilka – kilkanaście dni. Ekspedycja napotykała niebezpieczeństwa: dzikie zwierzęta, owady przenoszące zabójcze choroby, upał, a także wrogo usposobionych tubylców, których można podzielić na trzy grupy według powodów mordowania przybyszów: dla łupów, by ich zjeść i tak na wszelki wypadek. W dodatku część państw afrykańskich przyjęła islam, a więc religię tradycyjnie wrogą Europejczykom i tam można było stracić życie z powodów niesnasek religijnych. Doprawdy, tu trzeba było nie lada śmiałków!

## Legendarne Timbuktu

Timbuktu było przez wieki wrotami Sahary lub też – ostatnim postojem dla karawan, które opuszczały tę gigantyczną pustynię. Jedno z najważniejszych miast średniowiecznej Afryki było zbudowane z gliny suszonej na

Mury Timbuktu

słońcu, a w jego bibliotekach znajdowały się dziesiątki tysięcy rękopisów i ksiąg, nawet z XIII wieku. Pierwszym Europejczykiem, który je ujrzał, był w 1824 roku Aleksander Laing.

# Mungo Park zagląda do Afryki

Szkocki naukowiec, lekarz i podróżnik Mungo Park w roku 1794 wyruszył do Afryki na polecenie brytyjskiego Towarzystwa Afrykańskiego. Przez trzy lata przemierzał centralną Afrykę, przeżywając wiele niebezpiecznych przygód. Odkrył źródła potężnej rzeki Niger i opisał wiele plemion, o których istnieniu biali ludzie nie mieli pojęcia. Kolejna wyprawa podróżnika, w roku 1805, zakończyła się tragicznie. Ekspedycję zdziesiątkowały egzotyczne choroby i ataki dzikich plemion. Mungo Park zginął w 1806 roku podczas potyczki z tubylcami.

## Wielkie jeziora, wielkie góry

W I połowie XIX wieku Brytyjczycy wysłali kilka ekspedycji do centralnej Afryki. Ich dowódcy przywieźli do Europy wieści o silnych czarnych królestwach oraz o wielkich jeziorach położonych w głębi kontynentu: Czad, Tanganika i Wiktorii. Kilka wypraw prowadzonych przez Richarda Burtona, Johna Speka i Jamesa Granta poszukiwało źródeł największej rzeki Afryki: Nilu. Dziewięć lat poszukiwań nie przyniosło efektu. Prawdziwe źródła Nilu odkrył dopiero w 1876 roku Henry Morton Stanley.

Henry Morton Stanley

Spotkanie Stanleya z Livingstonem, rycina z 1876 r.

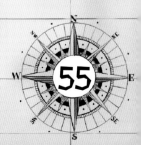

# Odkrycia mrożące krew w żyłach

Od razu wyjaśnimy – nie chodzi o odkrycie żywych dinozaurów, wampirów czy wejścia do piekła. Uwagę badaczy przyciągały dwa wielkie nieznane obszary kuli ziemskiej, obydwa skute lodem i absolutnie niedostępne. W dodatku znajdowały się tam bieguny Ziemi, czyli miejsca, przez które przechodzi umowna oś naszej planety. Nic nie odstraszało śmiałków pragnących postawić stopę na biegunach, na prawdziwym początku i końcu świata...

### Przy okazji: czy jest tam skrót?

Biegun Północny i otaczająca go Arktyka leży pomiędzy Europą, Ameryką Północną i Azją. Pomiędzy setkami wysp morze pokrywa skorupa lodowa, ale przecież gdzieś powinien być skrawek morza wolny od lodu. Gdyby udało się go odnaleźć, podróż morska z Atlantyku na Pacyfik skróciłaby się o kolejne tygodnie. Dlatego to mityczne Przejście Północno-Zachodnie, wzdłuż brzegów Grenlandii, Kanady i Alaski było tak poszukiwane już od co najmniej 300 lat.

W XVIII i XIX wieku rozpoczęto też poszukiwania Przejścia Północno-Wschodniego wzdłuż wybrzeży Azji. Kolejne wyprawy wyruszały i... ginęły w arktycznym piekle. Przejście Północno-Zachodnie przepłynął ostatecznie jako pierwszy Szwed Otto Nordenskjold w roku 1879, natomiast Przejście Północno-Zachodnie zdobył Norweg Roald Amundsen w latach 1903 – 1906.

Arktyka widziana z samolotu

### Arktyka wita was!

Temperatura dochodząca do –50, a nawet –60 stopni Celsjusza. Wichry zwalające z nóg. Zamiecie śnieżne. Całkowity brak miejsc, w których można się schować i przeczekać złą pogodę. Dryfujące kry i góry lodowe o wymiarach zdolnych zatopić okręt (Znacie tragedię Titanica z 1912 roku? Po zderzeniu z górą lodową na dno poszedł gigantyczny statek pasażerski, co więc powiedzieć o mniejszych drewnianych żaglowcach?). Zamarzające zatoki, w kilkanaście godzin zamykające kadłub okrętu w lodowych kajdanach, a następnie miażdżące go w uścisku piętrzących się lodowych brył o grubości dochodzącej do dwóch – trzech metrów. Brak jedzenia – chyba że upolujesz białego niedźwiedzia lub fokę. Jeśli nie masz doświadczenia, być może to niedźwiedź upoluje Ciebie. Witamy w Arktyce!

# Biegun północny

Badacze północy ryzykowali życiem. Kilka wypraw, pokonanych przez surową przyrodę, zawróciło, nie dotarłszy do celu. Kilka zaginęło na zawsze. Tragiczny los spotkał w 1845 roku ekspedycję Johna Franklina. Statki zostały zakleszczone przez lodowe pole. Głodujący i wycieńczeni mrozem ludzie zaczęli chorować i umierać. Pojawił się szkorbut, który zabił większość podróżników. Reszta postanowiła opuścić zniszczone przez lód statki i spróbować dojść do siedzib ludzkich. Wszyscy jednak umarli na lodowym szlaku. Resztki statków Franklina odnaleziono dopiero po 14 latach. Więcej szczęścia miał John Ross, który z wyprawy na Północ wrócił cudem, uratowany przez statek wielorybniczy po trzech latach zimowania w Arktyce.

# Nansen wytycza drogę, Peary wygrywa

Jak dotrzeć do bieguna północnego? Metodę opracował naukowo norweski polarnik Fridtjof Nansen. Badania nad życiem plemion Inuitów, mieszkających na dalekiej północy, umożliwiły mu stworzenie ciepłych ubrań oraz lekkich i wytrzymałych sań i kajaków, którymi można przemierzać niegościnne tereny. Pod jego nadzorem skonstruowano nawet statek o tak zaprojektowanym kadłubie, by zamarzające morze nie łapało go w śmiertelną pułapkę, ale wypychało ku górze – na powierzchnię lodu. Mimo to podczas trzyletniej wprawy w latach 1893–1896, Nansenowi nie udało się dotrzeć do bieguna. Zawrócił, mając 380 kilometrów do celu.

Rodzina Imitów

Doświadczenia Nansena wykorzystał Amerykanin Robert Peary. Ten nie tylko korzystał z pomocy Inuitów jako przewodników, ale zadbał o to, by na trasie zdobycia bieguna ekipy pomocnicze pozostawiły najpierw składy żywności. Ostatecznie po 37 dniach marszu, Peary stanął na biegunie północnym 7 kwietnia 1909 roku.

# Odkrycia mrożące krew w żyłach cd.

## Antarktyda. Jest, ale co z nią zrobić?

Skoro człowiek postawił już stopę na Antarktydzie (w 1895 roku), mnóstwo krajów postanowiło wysłać tam badaczy, by sprawdzić, czy są tam bogactwa naturalne, które można wydobyć lub czy da się tam przynajmniej założyć bazy wojskowe. Naukowców oczywiście bardziej interesowało zbadanie przyrody, klimatu, no i oczywiście, zdobycie bieguna południowego!

Marynarki wojenne dysponowały już okrętami, które mogły dopłynąć do Antarktydy, czego sto lat wcześniej nie był w stanie zrobić James Cook. Nadal jednak ludzka technika i wytrzymałość przegrywały z bezlitosną przyrodą. 50 stopni poniżej zera! Chcielibyście? Gdy szaleje antarktyczna burza z wiatrem pędzącym sto kilometrów na godzinę, odczuwalna temperatura spada do –70 stopni. A i na tym nie koniec. Biegun zimna planety Ziemia leży właśnie na Antarktydzie. W 1983 roku odnotowano tam temperaturę –89,6 stopnia Celsjusza! Zbyt lekko ubrany człowiek zamarznie tu na bryłę lodu w 60 sekund.

## Bohater lodowych mórz

Rywalizację o zdobycie Bieguna Południowego rozpoczął Szkot Ernest Shackleton. Zaatakował on w 1908 roku, ale 180 kilometrów przed celem musiał zawrócić z powodu zimna i braku żywności. Szkot powrócił na południe w 1915 roku, zamierzając przejść całą Antarktydę w poprzek. Niestety i tym razem przegrał. Kry zmiażdżyły jego statek, a podróżnicy dryfowali przez cztery miesiące na lodowej krze, z której łodziami ratunkowymi cudem dotarli na ląd. Dowódca zostawił ekspedycję i wyruszył z pięcioma towarzyszami łodzią przez Atlantyk. Pokonał 1200 kilometrów sztormów i dotarł do Południowej Georgii, do angielskiej bazy wielorybniczej. Stamtąd sprowadził pomoc i uratował swych ludzi pozostawionych na wybrzeżu Antarktydy.

### Antarktyka czy Antarktyda?

**Antarktyka** (czyli Anty-Arktyka, leżąca dokładnie po przeciwnej stronie globu co Arktyka) to obszar na półkuli południowej obejmujący kontynent Antarktyczny (Antarktydę) oraz otaczający go Ocean Południowy wraz z wyspami.

**Antarktyda** określa natomiast tylko i wyłącznie kontynent Antarktyczny, położony centralnie wokół bieguna południowego.

Stacja badawcza Wostok na Antarktyce – najchłodniejsze miejsce zamieszkane stale

## Śmiertelny wyścig

Co nie udało się dzielnemu Szkotowi, miało przypaść w udziale innym śmiałkom. Niemal w tym samym czasie wyruszyły ku biegunowi dwie wyprawy. Pierwszą prowadził Roald Amundsen, odkrywca Przejścia Północno-Zachodniego. Drugą dowodził Brytyjczyk Robert Scott.

Roald Amundsen

Obaj byli doświadczonymi **polarnikami**. Amundsen używał jednak inuickich sań, lapońskich nart, ubrań z kilku warstw wełny i futra oraz niezawodnych psich zaprzęgów. Psów miał 120, część z nich była przeznaczona do ciągnięcia sań, ale potem, w razie kłopotów z żywnością, miała zostać zjedzona. Przerażeni? Trudno, to naprawdę okrutna kraina… Scott postawił na najnowszy krzyk techniki – sanie motorowe, ale miał też zaprzęgi kucyków.

Amundsen dotarł do bieguna południowego w czterdzieści dni. 14 grudnia 1911 roku wbił norweską flagę w Biegun Południowy. Po kilku dniach obozowania na biegunie, powrócił szczęśliwie do bazy, zaopatrując się w żywność w obozach założonych wcześniej po drodze.

Scott miał pecha. Motorowe sanie zamarzały. Kucyki zabił mróz. Ludzie sami musieli ciągnąć sanie z ekwipunkiem. Scott dotarł na biegun 17 stycznia 1912 roku tylko po to, by ujrzeć tam norweską flagę, szałas zostawiony przez Amundsena i list zaświadczający, że Norweg zdobył to odludne miejsce jako pierwszy. Załamany Scott wyruszył w drogę powrotną, której nie przeżył ani on, ani jego ludzie. Ich zamarznięte ciała odnalazła ekipa ratunkowa kilka miesięcy później.

Pingwiny cesarskie

**Polarnik** – badacz obszarów arktycznych, który potrafi przetrwać w surowym klimacie, jego wiedza i doświadczenie umożliwiają mu dostosowanie się do warunków panujących w okolicy bieguna. Jest naukowcem – specjalistą od Arktyki i Antarktydy oraz przyrody i geografii ziem leżących blisko biegunów.

### Wspólny kontynent

W połowie XX wieku aż dwanaście państw zamierzało podzielić Antarktydę na kawałki i traktować je jak swą własność. Na szczęście do tego nie doszło. Po długich debatach i kłótniach **Organizacja Narodów Zjednoczonych** pogodziła zwaśnione strony. Ustalono, że Antarktyda ma należeć do całego świata, a jej terytorium wolno wykorzystywać jedynie w celach pokojowych i badawczych. Dlatego do dziś nie ma tam żadnych baz ani wojsk. Przybywają na nią jedynie badacze, przyrodnicy i uczeni.

**Organizacja Narodów Zjednoczonych** – międzynarodowe stowarzyszenie państw powołane w 1945 roku. Organizacja ma za zadanie powstrzymywać wojny i konflikty oraz chronić ludzi tam, gdzie jednak one wybuchają. ONZ wprowadza też wiele programów i działań dla poprawy warunków życia, nauki i pracy w krajach, które nie radzą sobie z rozwojem i cywilizacją.

# Najsłynniejsi polscy odkrywcy

Trochę szkoda, ale Polska nigdy nie była krajem o dobrych morskich tradycjach. Nasi przodkowie woleli cwałować konno po dzikich polach Ukrainy i Rusi, zaś morskie podróże i podboje traktowane były jak egzotyczna rozrywka zachodnich mocarstw. Największe zwycięstwa nasza flota w XVI i XVII wieku odnosiła w lokalnych bitwach na Zalewie Wiślanym i Bałtyku. Na oceany zaś okręty pod polską flagą nie zapuszczały się aż do wieku XX. To jednak nie znaczy, że wśród wielkich odkrywców brakuje Polaków!

## Jan Kubary – 27 lat badań!

Światowy rekord badań przyrodniczych? Jan Kubary, Polska. W połowie XIX wieku spędził 27 lat na wyspach Oceanii, badając obyczaje tamtejszych plemion. Odwiedził setki wysp. Opracował pierwsze słowniki języków używanych w tej części świata, badał i opisywał religię wyspiarzy, sztukę i znaczenie tatuaży, ludowe tradycje, wreszcie opisał nowe gatunki ptaków, zwierząt i roślin oraz szkicował mapy. Wiele dawnych obyczajów, a nawet prastarych sposobów budowania domów, które już zostały zapomniane, ocalało dzięki rysunkom i pracom Kubarego.

Wódz Maorysów sportretowany podczas wyprawy Jamesa Cooka przez Sydneya Parkinsona

## Bronisław Malinowski – o co chodzi?

Malinowski odwiedził wyspy Melanezji w latach 1915–1918. Zajął się antropologią, a więc obserwacją życia, zachowań, obyczajów i emocji ludzi, których cywilizowani Europejczycy określali mianem „dzikich". Gdy po skończonej misji opublikował swe dzieło naukowe, antropologię zaczęto dzielić na naukę „przed" i „po" Malinowskim. Tak jak astronomię dzielimy na „przed" i „po" Koperniku.

Odkrycia Polaka były doniosłe. Nie tylko opisał życie i skomplikowane obyczaje egzotycznych plemion z wysp Pacyfiku, ale odkrył ich sens, znaczenie i rolę w świecie tamtego społeczeństwa. Udowodnił, że tak zwany cywilizowany Europejczyk nie różni się jako człowiek od owych dziwnych wyspiarzy. Dowiódł, że powodem różnych zachowań są zawsze podobne potrzeby – potrzeba bycia podziwianym, popularnym, bezpiecznym, spokojnym itp. Różnią się tylko zachowania, ale nie nasze dusze. Malinowski nauczył współczesnych ludzi, jak ważne jest poznanie i uszanowanie cudzego poglądu na świat. A potem porównanie go z własnym, aby lepiej zrozumieć samego siebie.

### Polskie nazwiska na mapach świata

Paweł Edmund Strzelecki (1797-1873) był przyrodnikiem, geologiem i geografem. W Australii badał wysokie Góry Wododziałowe. Tworzył mapy geologiczne i poszukiwał – z sukcesami – złóż węgla i ropy naftowej. Najwyższą górę Australii nazwał Górą Kościuszki, zaś nazwiskiem Strzeleckiego ochrzczono tam później dwa następne szczyty, pasmo gór, rzekę, miasto i jezioro. Przy okazji – Strzelecki został autorem pierwszej książki naukowej opisującej Australię.

Na mapie Syberii dostrzeżesz Góry Czekanowskiego i Góry Czerskiego. To pamiątka po polskich naukowcach – **Aleksandrze Czekanowskim** i **Janie Czerskim**. W XIX wieku badali oni Syberię i okolice jeziora Bajkał, sporządzając dokładne mapy oraz naukowe opisy geografii i przyrody tych stron. Trzecim zasłużonym badaczem był **Benedykt Dybowski**. Opisał on przyrodę syberyjską w 46 pracach naukowych. Jego imię nosi dziś szczyt górski na Wyspie Beringa.

## Henryk Bronisław Arctowski – nasz człowiek na Antarktydzie!

16 sierpnia 1897 roku żaglowiec „Belgica" ruszył ku wybrzeżom Antarktydy. Pierwszy człowiek stanął na tym kontynencie dopiero dwa lata wcześniej i to na krótko. Biegun Południowy zdobędzie Amundsen dopiero za 14 lat. Teraz jest on drugim oficerem na pokładzie statku, który utknął w lodowym polu, a jego międzynarodowa załoga, którą stanowili badacze, znalazła się w potrzasku. Uwięzieni w lodach dryfowali wokół Antarktydy przez całą zimę i noc polarną. Powrócili po dwóch latach, gdy wydostali się z lodowego potrzasku za pomocą dynamitu. Była to pierwsza naukowa wyprawa polarna, podczas której robiono pomiary geograficzne, pogodowe, a także badania oceanu i zwierząt Antarktydy. Kierownikiem naukowym wyprawy był Henryk Bronisław Arctowski, geolog, przyrodnik i geograf – jego imię nosi dziś polska stacja polarna w Antarktyce.

Henryk Bronisław Arctowski

Belgica

# Co jeszcze można odkryć w XXI wieku?

Czas odkryć nie skończył się wraz z nastaniem ery samolotów, komputerów i lotów w kosmos. Wciąż więcej wiemy o powierzchni Księżyca niż o tym, co znajduje się na dnie oceanów. Choć wszystkie wyspy i lądy zostały odnalezione i setki razy sfotografowane przez satelity, nadal trwa wielkie wyszukiwanie i poznawanie tajemnic naszej planety. Natomiast współcześni żeglarze toczą pojedynki z oceanami, przemierzając Ziemię szlakami Kolumba, Magellana, Cooka czy La Perouse'a...

## Najgłębiej...

W listopadzie 1959 r. rozpoczęto przygotowania do wyprawy na dno Rowu Mariańskiego. Skonstruowano w tym celu batyskaf – podwodny pojazd zdolny wytrzymać gigantyczne ciśnienie panujące na głębokości kilku kilometrów. 23 stycznia 1960 roku oficer marynarki Don Walsh i syn konstruktora batyskafu Jacques Piccard, zeszli na dno najniższego punktu na Ziemi, osiągając głębokość 10 912 metrów.

Wodowanie batyskafu

## Najdalej w głąb...

Najgłębszą jaskinią na świecie jest Jaskinia Krubera (Wronia) w Abchazji, mająca głębokość 2191 metrów. Do tej głębokości dotarli badacze w latach 2001-2007. Z kolei najdłuższą jaskinią na świecie jest Jaskinia Mamucia w Kentucky w USA. Obejmuje ona 563 kilometry i 270 metrów podziemnych przestrzeni. Była znana i zamieszkiwana już w czasach prehistorycznych, a w XVII i XVIII wieku nawet wydobywano w niej saletrę. Jednak dopiero w 1972 roku udało się zbadać ją do końca i wymierzyć długość korytarzy.

Okrągły pokój w Jaskini Mamuciej

## Najwyżej...

Najwyższy szczyt na planecie – Mount Everest (8848 metrów n.p.m.) został odkryty i po raz pierwszy zmierzony w połowie XIX wieku. Ale na jego zdobycie trzeba było poczekać do roku 1953. Dokonała tego ekspedycja brytyjska. Jej dwaj członkowie: Nepalczyk Norgay Tenzinga i Nowozelandczyk Edmund Hillary stanęli na szczycie Everestu jako pierwsi ludzie na świecie.

## Nieodkryte plemiona

W Amazonii, w niedostępnej dżungli, znajduje się co najmniej kilkadziesiąt wiosek, gdzie żyją plemiona, które nie miały jeszcze nigdy kontaktu z białym człowiekiem. Obserwacje lotnicze potwierdziły istnienie co najmniej 70 takich miejsc. Naukowcy starają się, by część z nich zachować w izolacji, aby wpływ współczesnej cywilizacji nie zniszczył ich unikalnych kultur, wierzeń, całego społecznego świata, w którym żyją od setek lat. Podobne „zaginione" plemiona żyją w niedostępnych częściach Nowej Gwinei, Malezji, a także w najmniej zbadanych obszarach centralnej Afryki.

Nieznane plemiona w Amazoni

## W samotny rejs...

Czy rejs dookoła świata jest wielkim wyczynem? W czasach Magellana niewątpliwie był nim. Ale 500 lat później? Tak, jeżeli dokona tego samotny żeglarz. Tu już nie chodzi o odkrywanie nowych lądów, ale o sprawdzenie wytrzymałości jachtu i człowieka. Szlakiem wielkich odkrywców ruszyli żeglarze, w tym Polacy.

Żaglowiec, na którym Joshua Slocum opłynął ziemię

Pierwszym człowiekiem, który samotnie opłynął kulę ziemską był Amerykanin Joshua Slocum. Dokonał tego w latach 1895-1898 na pokładzie starego żaglowca do połowu ostryg. 12,5-metrowej długości stateczek i jego dzielny kapitan przetrwali sztormy, ataki piratów i Indian, przebyli 46 000 mil morskich i zapisali się w historii żeglarstwa.

W ślady Slocuma ruszyli inni śmiałkowie. Polacy włączyli się do rywalizacji po II wojnie światowej. Pierwszym samotnym zdobywcą oceanów był Leonid Teliga, który na drewnianym, pozbawionym radiostacji jachcie „Opty" opłynął ziemię w latach 1967-1969. Krzysztof Baranowski na jachcie „Polonez" dokonał podobnego wyczynu w rok i siedem dni (1972-1973). Natomiast Krystyna Chojnowska-Liskiewicz przebyła samotnie pod żaglami kulę ziemską w latach 1976-1978 jako pierwsza kobieta na świecie.

## Wielkie regaty

Walka z oceanami na pokładzie żaglowca stała się pasjonującym sportowym wyzwaniem. Przed ponad 100 laty w 1905 roku zorganizowano pierwsze regaty (czyli wyścigi jachtów) długodystansowe – trasa przebiegała z Nowego Jorku do Wielkiej Brytanii. Rekord trasy – 12 dni, 4 godziny i 1 minuta – ustanowiony przez amerykański szkuner „Atlantic" został pobity dopiero... 75 lat później!

W 1973 roku ustanowiono wielkie regaty dookoła świata. Polacy brali w nich udział, choć nie wygrywali, jednak w takim rejsie liczy się nie tylko zwycięstwo, ale dotarcie do mety bez strat i zniszczenia jachtu. Zwycięzcy przepływają kulę ziemską na superszybkich i nowoczesnych jachtach oraz katamaranach w 120 dni! To wspaniały hołd złożony żeglarzom i odkrywcom sprzed setek lat, którzy – dosłownie – otwierali świat kolejnym pokoleniom.

„Dar Młodzieży"

## Jak odbyć wielkie morskie podróże i dokonać fascynujących odkryć, nie ruszając się z wygodnego fotela?

Oczywiście tylko dzięki następującym książkom:

Arciniegas German, *Burzliwe Dzieje Morza Karaibskiego*, Warszawa 1968.

*Bitwy i wyprawy morskie. Dodatek historyczny do dziennika „Rzeczpospolita"*, 2010-2012.

Bergreen Laurence, *Poza krawędź świata*, Poznań 2014.

Drapella Zofia, *500 zagadek morskich*, Warszawa 1965.

Dzienkiewicz Marta, *Pionierzy, czyli poczet niewiarygodnie pracowitych Polaków*, Warszawa 2013.

Favier Jean, *Wielkie odkrycia geograficzne*, Warszawa 1996.

Fenimore James Cooper, *Krzysztof Kolumb*, Warszawa 1989.

Gascoigne John, *Tajemnice Południowego Pacyfiku. Podróże Kapitana Cooka*, Warszawa 2011.

Heyerdahl Thor, *Wyprawa Kon-Tiki*, Warszawa 1968.

Horowitz Tony, *Błękitne przestrzenie. Wyprawa śladami kapitana Cooka*, Warszawa 2013.

Oborski Piotr, *Po morzach i oceanach*, Warszawa 1982.

Orłowski Bolesław, *Księga Wynalazków*, Warszawa 1977.

Płużański Marek, *Czarodziejskie Szkiełko*, Warszawa 1975.

*Podróże Morskie*, Poznań 2007.

Rowland-Entwistle Theodore, *Podróże i Odkrycia*, Warszawa 1991.

Skrok Zdzisław, *Odkrywcy oceanów*, Gdańsk 1989.

Skrok Zdzisław, *Świat dawnych piratów*, Warszawa 1998.

Strater Pierre-Henri, *Na pokładzie XVIII-wiecznych żaglowców*, Wrocław 1993.

Tekst: Marcin Przewoźniak
Ilustracje: Piotr Nagin
Redaktor prowadzący: Agnieszka Skórzewska
Korekta: Adam Tyszka
Projekt graficzny i skład: Bernard Ptaszyński

## FOTOGRAFIE:

**Zdjęcia udostępnione na licencji Creative Commons:**
**CC-BY-2.0**
Kon-Tiki, CC-BY-2.0, s. 49
Indianie w Amazonii, Gleilson Miranda / Governo do Acre, s. 62

**CC-BY-SA-2.0**
Pomnik Henryka Żeglarza, Philip Larson, CC-BY-SA-2.0, s. 20
Pomnik Vasco de Balboa w Panamie, Chito, , CC-BY-SA-2.0, s. 29
Timbuktu, Emilio Labrador Santiago de Chile, CC-BY-2.0, s. 54

**CC-BY-SA-2.5**
Goździki, les, CC-BY-SA-2.5, s. 7
Astrolabium Jeana Naze, Marie-Lan Nguyen, CC-BY-2.5, s. 23
Klepsydra, Marie-Lan Nguyen, CC-BY-SA-2.5, s. 23
Chronometr, Racklever, CC-BY-2.5, s. 43
Inuici, Ansgar Walk, CC-BY-SA-2.5 , s. 57
Mount Everest, Luca Galuzzi, CC-BY-SA-2.5, s. 62

**CC-BY-SA-3.0**
Pomnik odkrywców w Lizbonie, Diego Delso, CC-BY-SA-3.0, s. 6
Fregata, Mede, CC-BY-SA-3.0, s. 12
Galeon, Myriam Thyses, CC-BY-SA-3.0, s. 12
Twierdza Sagres, Lacobrigo, CC-BY-SA-3.0, s. 21
Log, Lokilech, CC-BY-SA-3.0, s. 23
Kangur olbrzymi, J.J. Harrison, CC-BY-SA-3.0, s. 45
Thor Heyerdahl, CC-BY-3.0, s. 48
Kanał Panamski, Stan Shebs, CC-BY-SA-3.0, s. 51
Pinnacles, Binarysequence, CC-BY-SA-3.0, s. 53

**Domena publiczna**
Przylądek Dobrej Nadziei, Zaian, s. 21
Cieśnina Magellana, Jacques Descloitres, s. 37
Ziemniak, Scott Bauer, DP, s. 39
Stacja badawcza Wostok, NSF/Josh Landis, employee 1999-2001
- Antarctic Photo Library,
Kanał Sueski, William Henry Goodyear, DP, s. 51
Meriwether Lewis, Charles Willson Peale, DP, s. 52
William Clark, Charles Willson Peale, DP, s. 52
Henry Morton Stanley, Russell E. Train Africana Collection,
Smithsonian Institution Libraries, DP, s. 55
Roald Amundsen, Anders Beer Wilse, s. 59
Szelf lodowcowy, U.S. Antarctic Program, s. 58
Henryk Arctowski, Harris & Ewing, photographer, s. 61
Batyskaf, Houot, s. 62
Jaskinia Mamucia, Lwt02830, s. 62
Dar Młodzieży, Żeglarz, s. 63

ISBN 978-83-7895-997-7

Wydawnictwo Zielona Sowa Sp. z o.o.
00-807 Warszawa, Al. Jerozolimskie 96
tel. 22 576 25 50, fax 22 576 25 51
wydawnictwo@zielonasowa.pl
www.zielonasowa.pl